YMYSG LLYFRON

YMYSG LLADRON

GAN

T. LLEW JONES

Argraffiad Cyntaf — Tachwedd 1965
Ail Argraffiad — Mai 1970
Trydydd Argraffiad — 1988

ISBN 0 86383 426 4

ARGRAFFWYD GAN J. D. LEWIS A'I FEIBION CYF.
GWASG GOMER, LLANDYSUL

CYFLWYNEDIG
I
IOLO

CYNNWYS

PERLAU'R PLAS

EISTEDDAI'r Fonesig Eluned Prys wrth y bwrdd brecwast. Hi
yn unig oedd yn yr ystafell, ac nid bwyta yr oedd hi, ond darllen
llythyr. Yr oedd hi eisoes wedi ei ddarllen deirgwaith er pan
ddaeth gyda'r goets o Lundain y noson gynt, a hawdd gweld
oddi wrth yr olwg ar ei hwyneb prydferth fod ei gynnwys yn
achos pryder iddi.

Aeth drosto unwaith eto'n fanwl.

> Temple Mansions
> Holborn
> London
> 28ain o Awst 1776

Annwyl Fonesig Eluned Prys,

Mae'n ddrwg gennyf orfod eich blino â'r cais bach sy'n
gynwysedig yn y llythyr hwn.

Aeth yn agos i ddwy flynedd heibio er pan ymwelais â'ch
cartref hardd yn y Dolau, Tregaron. Yn anffodus, fel y
cofiwch, yr oeddwn i yno pan ddigwyddodd y ddamwain
drychinebus a achosodd farwolaeth eich gŵr, Syr Anthony.

Y noson cyn y ddamwain bu ef a minnau'n chwarae
cardiau tan oriau mân y bore, ac er y noson honno mae yna
swm bychan o bedwar cant a hanner o bunnoedd yn
ddyledus oddi wrth Syr Anthony i mi, ac mae gen i bapur,
wedi ei arwyddo ganddo ef, i brofi hynny. Nid oeddwn am
eich blino cyn hyn am y gwyddwn fod gennych faterion
pwysicach i'w setlo, ar ôl colli eich gŵr mor sydyn. Yn wir,
mae'n lled debyg na fuaswn wedi tynnu eich sylw at y
ddyled fechan yma o gwbwl onibai fy mod i fy hunan wedi
cael colledion ariannol go drwm yn ddiweddar. Oherwydd
hynny rhaid i mi ofyn i chi yn awr am yr arian sy'n ddyledus i
mi cyn gynted ag y bo modd, os gwelwch yn dda.

Gobeithio eich bod yn mwynhau iechyd ardderchog, a
gobeithio y caf fi'r cyfle rywbryd eto i alw heibio i Dregaron
a Llanbedr Pont Steffan . . .

Rhoddodd gwraig ifanc y Plas y llythyr o'r neilltu a dechreuodd feddwl, â'i dwy law o dan ei phen. Daeth diwedd trychinebus ei gŵr yn ôl yn glir i'w chof. Cofiodd mai'r dyn hwn, Syr John Sbens, a oedd yn gofyn am arian iddi yn awr, oedd achos y ddamwain a dweud y gwir. Fe oedd wedi rhoi her i Syr Anthony na allai farchogaeth caseg ddu enwog y Dolau. Na, yr oedd Robert Ffynnon Bedr yn y fusnes hefyd. Yr oedd ef yn gwybod fod y gaseg wedi taflu Syr Anthony ddwywaith neu dair o'r blaen, ac eto i gyd yr oedd e' wedi cymell y Sgweier ifanc, hanner meddw, i dderbyn sialens Syr John Sbens. Pam y gwnaeth Robert hynny ? A oedd gan y ffaith ei bod hi'n wraig i Syr Anthony rywbeth i'w wneud â digofaint Robert tuag ato ?

Cofiodd wedyn amdani hi'n edrych allan trwy ffenest y llofft a gweld ei gŵr yn mynd ar gefn y gaseg ac yn dechrau cerdded o gwmpas y clôs. Yr oedd y gaseg wedi cychwyn yn ddigon tawel, ond yn sydyn fe feddyliodd Syr Anthony fod rhaid iddo ddangos i bawb mai ef oedd meistr y gaseg. Trawodd ei hochr â'i sbardun miniog. Nid oedd y gaseg wedi cael sbardun erioed o'r blaen, gan fod yr Hen Sgweier, Syr Harri Prys, wedi ei magu hi'n dyner. Daeth y naid sydyn a roddodd y gaseg yn fyw i gof y Fonesig Eluned y funud honno. Cofiodd fel y syrthiodd Syr Anthony o'r cyfrwy, ond nid i'r llawr chwaith. Cydiodd ei droed dde yn y warthol a chafodd ei lusgo â'i ben i lawr ar draws y clôs ac allan i'r lôn. Cyn i'r gaseg ddiflannu heibio i'r tro, gwelodd ben ei gŵr yn taro'r llawr hanner dwsin o weithiau. Pan ddaethon nhw o hyd i'r gaseg ar waelod y lôn roedd troed Syr Anthony'n dal yn y warthol o hyd, ond yr oedd ef . . .

Wrth feddwl am farwolaeth ei gŵr yn awr ni theimlai ddim hiraeth ar ei ôl. A oedd hi'n galon-galed ? Ysgydwodd ei phen wrth gofio mai priodas wedi ei threfnu gan ei thad oedd ei phriodas hi a Syr Anthony. Nid oedd neb wedi gofyn iddi a oedd yn ei garu. Yr oedd hi wedi bod yn hapusach yn ystod y ddwy flynedd ddiwethaf—ar ôl colli ei gŵr, nag yr oedd hi pan oedd ef yn fyw. Gwthiodd y meddyliau yma oddi wrthi, a chydiodd mewn blwch bychan o bren du gloyw oddi ar y bwrdd. Agorodd ef a thynnu allan raff o berlau.

Daliodd y gemau rhyngddi a'r ffenest a gwelodd hwy'n

fflachio yn y golau. Pwysodd y rhaff yn ei llaw, yna gosododd hi yn ôl yn y blwch.

Daeth sŵn traed at y drws a daeth ei thad i mewn. Dyn byr, moel tua'r hanner cant oed oedd Wiliam Morgan o Giliau Aeron, tad y Fonesig Eluned.

"Bore da, Nhad, gysgoch chi'n iawn ?"

"Naddo, Eluned, chysges i ddim yn iawn !"

"Nhad !" meddai'r Fonesig Eluned â hanner gwên gellweirus ar ei hwyneb, "hiraeth am Giliau Aeron ?"

"Nage, rown i'n methu cysgu wrth feddwl am y ffordd yr wyt ti'n rhedeg y stâd 'ma."

Eisteddodd Wiliam Morgan wrth y bwrdd ac edrychodd ar ei ferch hardd.

"Fe fûm i o gwmpas ddoe, Eluned, yn edrych ffermydd y stâd 'ma. Rwyt ti wedi codi beudy newydd yn Aberdeuddwr . . ."

"Ond roedd yr hen un wedi mynd â'i ben iddo, Nhad."

"Rwy'n gweld fod to newydd ar ffermdy Rhydlydan wedyn."

"Mae 'na bump o blant bach, Nhad ; allwn i ddim gadel i'r glaw ddod mewn ar 'u penne nhw, allwn i ?"

"A . . . wedi holi, fe ffeindies i nad oeddet ti ddim wedi codi'r rhent ar yr un o'r ddou le."

"Nhad bach, mae'n ddigon anodd arnyn' nhw i ga'l dou pen y llinyn ynghyd fel mae, heb orfod talu rhagor o rent."

Chwifiodd Wiliam Morgan ei ddwy fraich uwch ei ben. "Mae un peth yn ddigon siŵr ; chei *di* byth mo ddou pen y llinyn ynghyd os ei di 'mla'n fel hyn ! Wyddost ti fod y dyn 'na —Huws Dolbantau yn dechre tuchan nawr fod eisie beudy newydd arno fe, ar ôl clywed fod Aberdeuddwr wedi ca'l un. Rwyn dweud wrthot ti—rwyt ti'n sbwylio'r tenantied 'ma Eluned. Sut wyt ti'n gallu fforddio'r holl gost 'ma, dyna beth leiciwn i ga'l gw'bod ?"

"Dwy'i ddim yn gallu fforddio, Nhad, gwaetha'r modd."

"Beth ? Wyt ti ddim yn brin o arian wyt ti—o ddifri ?"

"Arian yw'r peth prinna' o gwmpas y lle 'ma ar hyn o bryd."

"Ond ble mae arian Anthony . . . a . . . a'r waddol ge'st ti gen i ar ddydd dy briodas ?"

"Adawodd Anthony fawr o ddim ond dyledion, a . . . rwy' wedi bod yn eitha' prysur yn ystod y ddwy flynedd ddiwetha' yn clirio'r rheiny. Rown i'n meddwl 'mod i wedi talu'r cyfan o'r diwedd, ond fe ddaeth y llythyr 'ma gyda'r goets neithiwr. Darllenwch e Nhad."

"Ond . . . ond . . . caton pawb !"

Yna cydiodd Wiliam Morgan yn y llythyr o'i llaw a dechreuodd ddarllen. Daeth morwyn ifanc i mewn â brecwast iddo ar hambwrdd.

"Gymerwch chi rywbeth nawr, mei ledi ?" gofynnodd.

"Na dim diolch, Neli."

Trawodd Wiliam Morgan y bwrdd â'i ddwrn nes bod y llestri'n tincial.

"Pedwar cant a hanner !" gwaeddodd, "wyt ti ddim yn mynd 'u talu nhw, wyt ti ?"

Yna gwelodd y forwyn a bu'n ddistaw.

Gwenodd y Fonesig Eluned ar yr eneth ac aeth honno allan.

"Fe fydd rhaid 'u talu nhw, Nhad."

"Ond damio ferch—pedwar cant a hanner ! A'r cwbwl wedi'u gwario mewn un nosweth, ar y cardie ! Mae e—mae e'n ffortiwn !"

"Mae e'n edrych yn ffortiwn i fi beth bynnag ; ond ' swm bach ' mae'r llythyr yn ddweud . . ."

"Beth yw'r ots gen i beth mae'r llythyr yn ddweud ! Thalwn i mohonyn' nhw, 'na fi'n dweud wrthot ti."

"Rwyn mynd 'u talu nhw . . ."

"Gwna di fel y mynnot ti, ond cofia, paid â gofyn i fi am ddime goch !"

"Rown i'n meddwl falle y byddech chi'n gwrthod rhoi benthyg . . ."

"Rhoi benthyg ! Nid rhoi benthyg fyddwn i, tawn i'n rhoi arian i ti, yn ôl yr hyn rwyn weld o gwmpas y stâd 'ma, fydde gyda fi ddim siawns 'u ca'l nhw nôl byth. Y gwir yw, Eluned, ac rwyn mynd i siarad yn blaen, mae eisie *dyn* 'ma."

"Eisie dyn ? Nhad ! Beth ŷch chi'n feddwl ?"

"Mae eisie i ti ail-briodi, dyna beth wy'n 'i feddwl."

Chwarddodd y Fonesig Eluned.

"Ŷch chi'n meddwl y bydde hynny'n setlo'r broblem ? Dwy'i ddim yn cofio fod pethe fawr gwell pan oedd Anthony'n fyw."

"Mae eisie dyn i redeg y stâd 'ma. Beth mae merch ifanc fel

ti'n w'bod am redeg stâd—does gen ti ddim syniad ! A ma'
cystal i fi gyfadde wrthot ti nawr—rwy' i wedi dechre gwneud
trefniade ar dy gyfer di."

"O ?"

"Mae Robert 'Tifedd Ffynnon Bedr yn ddi-briod o hyd, a
rwyt ti'n g'wbod yn iawn 'i fod e'n dotio arnat ti. Wel, mae 'i
dad a finne wedi bod yn siarad . . ."

Torrodd y Fonesig Eluned ar ei draws.

"Nhad, dwy' i ddim am i chi drefnu dim ar 'y nghyfer i
ragor. Rŷch chi wedi trefnu un briodas i fi ; os bydda' i'n
priodi 'to, mi fydda' i'n dewis 'y ngŵr y'u hunan."

"Ond rwy' wedi addo i Syr Tomos . . . !"

"Mae'ch brecwast chi'n oeri, Nhad."

"Na hidia am 'y mrecwast i. O'r gore, ddwedwn ni ddim
rhagor ar y pwnc 'na nawr. Ond i ddod nôl at y llythyr 'ma—
sut wyt ti'n mynd i godi'r arian i dalu Syr John Sbens, gan dy
fod di wedi penderfynu'u talu nhw ? Wyt ti'n mynd i werthu'r
gaseg ?"

"Nhad, rwy' wedi dweud wrthoch chi o'r bla'n nad fi pia'r
gaseg. Fe ddwedodd Syr Harri Prys ar 'i wely angau mai Twm
Siôn Cati oedd i ga'l y gaseg."

"Wel, beth mae hi'n wneud yn stable'r Dolau 'te—yn bwyta
ceirch ?"

"Dwy' i ddim yn mynd i ddadle â chi 'to ynghylch y gaseg,
Nhad ; rwy'i wedi addo i Twm Siôn Cati y caiff hi aros yn
stablau'r Dolau . . . a pheth arall mae Twm yn help mowr i
fi . . ."

"Mae e'n hala gormod lawer o'i amser yn y Plas 'ma, Eluned.
Rwyt ti ag e tua'r un oed on'd ŷch chi ?"

"Nhad !" Edrychodd y ddau ar ei gilydd a gwelodd Wiliam
Morgan fod ei ferch yn gwrido.

"Eluned, does dim byd rhyngoch chi ocs e ?"

"Dim byd, dim byd o gwbwl, Nhad."

"Gobeithio hynny wir. Pwy mae e'n feddwl yw e' ? Cofia,
fe elli di ga'l dy ddewis o foneddigion y sir 'ma !"

"Nhad, dechreuwch fwyta'ch brecwast nawr 'da chi."

Plygodd Wiliam Morgan at ei frecwast o'r diwedd. Yna
gwelodd y blwch bach ar y bwrdd. Gwgodd arno.

"Beth yw hwnna ?"

Cododd gwraig ifanc y Plas y clawr a thynnodd allan y rhaff berlau.

"Yr arswyd ! Pwy pia nhw ?"

"Mam Anthony *oedd* pia nhw. Ond nawr mae'n debyg mai fi yw 'u perchennog nhw."

"Beth wyt ti'n mynd i 'neud â nhw ?"

"Talu'r ddyled 'ma," gan bwyntio at y llythyr. "Dyled ola' Anthony fydd hon gobeithio, ac mae'n iawn 'i thalu hi â rhaff o berlau o eiddo'i fam." Tynnodd y rhaff loyw rhwng ei bysedd. "Mae hon yn werth pum cant o leia'."

"Chei di neb yn sir Aberteifi i roi cymaint â hynny i ti."

"Na, ond rwy'n mynd i' hanfon hi i Lunden, Nhad."

"Wyt ti ddim yn mynd i fentro anfon honna gyda'r goets wyt ti ? Cyn wired â mod i'n eistedd yn y gadair 'ma fe fydd rhyw leidr pen-ffordd wedi cael gafel ynddi cyn iddi gyrraedd Llunden."

"Na chaiff hi ddim mynd gyda'r goets. 'Rwyn mynd i ofyn i Twm Siôn Cati fynd â hi."

Dechreuodd Wiliam Morgan fwmian rhywbeth am roi ' gofal yr ŵydd i'r cadno', ond gwelodd fflach beryglus yn llygad ei ferch ac aeth ymlaen â'i frecwast heb oedi.

YN NHAFARN Y "BLACK HORSE"

TEITHIAI Twm Siôn Cati ar ei ffordd i Lundain. Yr oedd hi'n ddiwrnod sych, gwyntog a'r awyr uwchben yn gymysg o las a gwyn. Rhedai'r gaseg ddu'n esmwyth ar hyd yr heol wastad a oedd yn arwain i Henffordd. Yr oeddynt eisoes wedi teithio 'mhell,—dros y mynydd i Lanwrtyd ac oddi yno trwy Gilmeri i Lanfair-ym-Muallt. Yna'r daith trwy ddyffryn prydferth afon Gwy i'r Gelli.

Ond nid oedd Twm wedi sylwi rhyw lawer ar brydferthwch y wlad wrth deithio. Yr oedd ei feddwl yn llawn penbleth ac amheuaeth ers dyddiau, ac ni allai golygfeydd hyfryd dyffryn Gwy wneud dim i godi ei galon. Meddyliai yn awr eto am y siarad a glywsai rhwng Syr Tomos Llwyd, Ffynnon Bedr a Wiliam Morgan yn stabl y Dolau. Digwydd clywed yr ymgom rhwng y ddau a wnaeth, gan na wyddai'r un o'r ddau ei fod ef yn y stabl ar y pryd. Nid oedd Twm wedi clywed dechrau'r sgwrs ond fe glywodd ddigon i ddeall beth oedd yn cael ei gynllunio gan y ddau, sef priodas y Ledi Eluned a Robert, etifedd Ffynnon Bedr. Rhedai geiriau'r hen Syr Tomos gyfrwys trwy ei feddwl.

"Rhaid i ni wneud ein gore dros ein plant, Wiliam Morgan."

Ac yna ateb gwasaidd, sebonllyd Wiliam Morgan.

"Yn wir, Syr Tomos, rydyn ni wedi oedi'n rhy hir. Mae'n hen bryd uno'r ddou deulu . . ."

"Ie'r ddou deulu a'r ddwy stâd, Wiliam, e ? 'Dych chi ddim yn meddwl y bydd y Ledi Eluned yn codi gwrthwynebiad ?"

Yna chwerthin Wiliam Morgan fel pe bai'r posibilrwydd hynny'n rhy ddoniol i feddwl amdano.

"Eluned yn codi gwrthwynebiad, Syr Tomos ! Dim perygl ! Rwyn digwydd gw'bod, syr, 'i bod hi'n meddwi y'byd o'Robert."

"Ardderchog !" meddai Sgweier Ffynnon Bedr, "dyna'r mater wedi 'i setlo felly."

"Ydy, cyn belled ag y gwela' i, Syr Tomos, does 'na ddim un rhwystyr."

"Mae 'na un peth bach, Wiliam."

"Ie ?"

"Faint fydd yn mynd gyda'r ferch ifanc ?"

"Wel, fe fydd y stâd wrth gwrs . . ."

"Y stâd Wiliam ! Nid am y stâd rown i'n meddwl nawr . . . faint o arian sychion ?"

"E . . . rhaid i chi gofio, Syr Tomos, mai dwy flynedd sydd er pan gafodd hi waddol . . ."

"Nawr Wiliam, mae'ch poced chi'n ddyfnach na hynna. Chi sy'n ca'l trethi harbwr Aberaeron o hyd ontefe ?"

"Ie, ond . . ."

"Ac mae John Gwynne yn hawlio mai fe ddyle 'u ca'l nhw ?"

"Ydy, ond . . ."

"Ac mae e'n bygwth mynd i gyfreth ? Na hidiwch Wiliam, mae gen i ddylanwad fel y gwyddoch chi. Ond y waddol Wiliam . . ."

"Wel fydda i ddim ar ôl, Syr Tomos . . ."

"Dyna welliant nawr Wiliam ! Beth bynnag, fe fydd hon yn mynd gyda hi, ac rwyn meddwl, fod 'na rai arian sychion yng nghoese hon, e Wiliam ?"

Wedyn roedd y ddau wedi mynd allan o'r stabl ac o gyrraedd clyw Twm. Gwyddai mai'r ' hon ' y cyfeiriodd Syr Tomos ati oedd y gaseg ddu a oedd yn ei gario ef tua Henffordd y funud honno. Roedd pob gair o'r sgwrs a glywsai yn y stabl wedi aros ar ei gof. Nid oedd wedi meddwl y byddai'r Ledi Eluned yn priodi, yn enwedig ag etifedd Ffynnon Bedr, yn wir, prin y gallai gredu fod y fath beth yn bosib. Ond yr oedd Wiliam Morgan wedi dweud ei bod yn meddwl y byd . . .

Ac yn awr teimlai mai priodas rhwng y ddau yma oedd y peth mwya naturiol yn y byd. Pam na fyddai wedi meddwl am hynny'n gynt ? Ceisiodd ddychmygu sut y byddai pethau ar ôl iddynt briodi. Roedd hi'n amlwg fod yr hen Syr Tomos yn cyfri'r gaseg ddu fel rhan o waddol y Ledi Eluned. Roedd hi'n amlwg hefyd ei fod ef yn gwybod ei gwerth ac yn bwriadu gwneud elw ohoni.

Yna dechreuodd Twm feddwl am wraig ifanc y Dolau, a gwgodd ar y ffordd galed a ddirwynai heibio o dan garnau'r gaseg. Yn ddiweddar roedd ef wedi cael llawer o'i chwmni ac roedd hithau wedi dod i ddibynnu arno am help ac am gyngor ynglyn â threfnu pethau ar y stâd, ac roedd hi wedi dod yn annwyl iawn ganddo. Yn awr fe wyddai'n iawn pa mor annwyl.

Cofiodd ei geiriau olaf cyn cychwyn tua Llundain â'r rhaff berlau'n gorwedd tu mewn i leinys ei wasgod.

"Does dim eisie i chi frysio 'nôl ; mae'n debyg y gwelwch chi lawer o bethau at eich ffansi yn Llunden . . ." A chwerthin yn ei llygaid ! Ond beth oedd yn ei meddwl ?

Yna gwelodd dafarn yn dod i'r golwg ar groesffordd o'i flaen. Ar hen astell ddu uwch ben y drws yr oedd yr enw wedi'i roi mewn llythrennau breision—"The Black Horse". Gwenodd Twm wrtho'i hunan gan edrych i lawr ar hyd gwddf du'r gaseg.

Ai gwell treulio'r nos yn y dafarn yma ?

Na, fe âi ymlaen am dipyn eto, fe fyddai mwy o westai wrth nesáu at dref Henffordd.

Ond wrth fynd heibio i'r "Black Horse" gwelodd geffyl coch tal yn sefyll wrth y drws. Yr oedd y gaseg wedi ei gario heibio i'r lle erbyn hyn, ond gwyddai Twm yn sydyn ei fod yn 'nabod y ceffyl coch. Ymhle roedd e' wedi 'i weld e' o'r blaen ?

Yna cofiodd mewn fflach a throdd ben y gaseg yn ôl tua'r dafarn. Edrychodd unwaith eto'n graff ar y ceffyl coch. Ie, hwn oedd ceffyl ei hen gyfaill Rhys Parri'r Porthmon o Ferthyr Cynog.

Disgynnodd o'r cyfrwy a chlymodd ffrwyn y gaseg wrth ddolen yn y wal, wrth ymyl y cel coch.

Cyn i Twm fynd i mewn i'r dafarn daeth un o'r dynion bach rhyfeddaf a welsai erioed heibio i dalcen y "Black Horse". O ran ei gorff nid oedd fawr iawn mwy na phlentyn. Ond roedd ganddo wyneb rhychiog fel hen ŵr. Gwisgai hen het mor dyllog fel nad oedd o fawr werth i gadw'i ben yn glyd. Yr oedd ei chorun wedi treulio ymaith bron yn llwyr ac roedd ei wallt brithlwyd bron i gyd yn y golwg. Ac yn ei wallt a'i ddillad i gyd yr oedd gwellt yn sticio allan fel pigau draenog.

Nid edrychodd y dyn bach ar Twm ; aeth ymlaen at ben y ceffyl coch. Ond wedyn disgynnodd ei lygaid ar y gaseg, a safodd yn stond. Anghofiodd y cel coch yn llwyr. Edrychodd dros y gaseg o flaen ei chynffon hyd flaen ei thrwyn. Aeth

ymlaen ati a rhoi ei law ar ei thrwyn melfed, gan wneud rhyw
sŵn bach rhyfedd rhwng ei ddannedd.

"Gwylia !" meddai Twm, "paid â mynd yn rhy ewn arni !"

Troes y dyn bach i edrych ar Twm am y tro cyntaf.

"Chi yw perchen y gaseg ddu, syr ?" gofynnodd, ac roedd ei
lais mor fain â llais plentyn.

"Ie, paid â mynd yn rhy agos ati ; 'dyw hi ddim yn rhy hoff
o ddieithried."

Chwarddodd y dyn bach.

"Fe alla' i 'i thrin hi, syr, does dim eisie i chi ofidio." Ac yn
wir yr oedd y gaseg yn rhwbio'i thrwyn yn erbyn ei got arw.

"Fyddwch chi'n aros gyda ni heno, syr ?"

"Mae'n dibynnu," meddai Twm. "Pwy yw perchen y ceffyl
coch ?"

"Y dyn tew."

"Rhys Parri'r Porthmon ?"

"Ie, mae e'n aros yn y ' Black Horse ' heno. Dod i roi'i
geffyl e yn y stabal yr oeddwn i nawr."

"Ti yw'r osler mae'n debyg ?"

"Ie—Wilf yr Osler."

"O'r gore, fe gei di roi'r gaseg yn y stabal hefyd. Cymer ofal
ohoni, mae wedi teithio 'mhell."

"Does dim eisie i chi ofidio syr, nid yn amal y byddwn ni'n
cael brenhines fel hon yn stablau'r 'Black Horse.' Mae'n debyg
y byddwch chi'n mynd ymlaen i Henffordd yfory ?"

Gwenodd Twm ar y dyn bach rhyfedd.

"I Henffordd ? Bydda', mi fydda' i'n mynd i Henffordd."

"Rown i'n meddwl wir," meddai'r dyn bach, gan edrych ar y
gaseg.

Aeth Twm i mewn i'r dafarn.

Er 'i bod hi heb nosi tuallan, ni threiddiai fawr o olau hwyr
y dydd trwy ffenestri bychain hen dafarn y "Black Horse", a
phan gyrhaeddodd Twm y gegin fawr nid oedd y canhwyllau
wedi eu cynnau ac yr oedd hi'n lled dywyll yno. Llosgai tân
coed ar yr aelwyd, ac o flaen y tân yr oedd dau ddyn, un ar ei
eistedd a'r llall ar ei draed â'i gefn at y tân. Nid oedd Twm yn
adnabod y dyn ar ei draed, ond gallai weld ei fod wedi 'i
wisgo'n ffasiynol a'i fod yn cario cleddyf wrth ei wregys. Ni

allai weld ond gwar y llall, ond gwyddai ar unwaith mai ei hen
gyfaill y porthmon tew ydoedd, a theimlodd yn falch.

Ond roedd y porthmon a'r dieithryn wrth y tân yn dadlau,
ac nid oedd yr un ohonynt wedi sylwi fod neb wedi dod i mewn
i'r ystafell.

"Mae'n ddrwg gen i syr," meddai'r porthmon â'i lais yn
bigog, "alla' i ddim cytuno â chi, mae'r Cymro cystal ffermwr
â'r Sais unrhyw ddydd."

"Pa !" meddai'r dieithryn, gan daro'i droed ar y llawr.
"Geifr ! Defaid ! Dyna'r unig greaduriaid sy'n gallu byw ar
eich mynydde chi yng Nghymru !"

"Mynydde ! Mae gynnon ni ddyffrynnoedd hefyd, syr !
Dyffryn Tywi, dyffryn Teifi, dyffryn Gwy . . ."

"Dyna ddigon, syr, 'dwy'i ddim yn mofyn gwers mewn
daearyddiaeth os gwelwch chi'n dda. Mae'r ffaith yn aros nad
oes dim gobaith gennych chi yng Nghymru i godi cystal
gwartheg â ni yn Lloegr."

"Hw ! Dyna'ch barn chi iefe ? Wel dwedwch wrthw i—
pam y mae cigyddion Lloegr yn prynu cymaint o wartheg
Cymru bob blwyddyn 'te ?"

"Wel . . ."

"Ie, 'wel', syr ; fe ellwch chi ddweud ' wel ' faint a fynnoch
chi. Wyddoch chi faint o gannoedd o eidionnau sy'n mynd o
Gymru i Lunden bob blwyddyn ? Na wyddoch. Mae gwŷr
byddigion mwya' Llunden yn bwyta cig eidion o Gymru ;
synnwn i ddim nad yw'r teulu brenhinol yn swpera'r funud 'ma
ar gig bustach o ddyffryn Tywi, ac mae'r teulu brenhinol siŵr
o fod yn gw'bod beth yw beth ; fu'sech chi ddim yn ame hynny
gobeithio, syr ?"

Gwenodd Twm wrtho'i hunan yn yr hanner tywyllwch. Yr
oedd ef erbyn hyn wedi eistedd ar gadair yn ddigon pell o
olau'r tân, ac yn ddigon agos i glywed yr hyn oedd yn mynd
ymlaen.

Ond y foment honno daeth y forwyn i mewn â chanhwyllau i
oleuo'r ystafell, gan dorri ar ddadl y ddau wrth y tân.

"A ! Dyma oleuni ar y ddadl !" meddai Rhys Parri, gan
droi ei ben.

Yna gwelodd Twm yn eistedd o fewn dwylath iddo. Agorodd
ei lygaid a'i geg led y pen, yna neidiodd ar ei draed.

"Twm ! Twm Siôn Cati ! Yr arswyd y byd—does bosib !
Ie Twm yw e ! Yr hen walch â ti. O ble doest ti ? I ble'r wyt
ti'n mynd ? Pam rwyt ti'n eiste' fanna heb ddweud dim byd,
bachan ?"

Cydiodd ym mraich Twm a'i hysgwyd nes bod ysgwydd
hwnnw'n brifo.

"Fe weles i'r cel coch wrth y drws, Rhys Parri ; rwyn falch
o'ch gweld chi."

"Wel, wel ! Does dim byd o le oes e, Twm ?"

"Na, does dim byd o le," meddai Twm, gan gofio am y tro
diwetha' y bu ef a Rhys Parri'n treulio nos yn yr un gwesty.

"Wel, tynn y gader 'na'n nes at y tân." Trodd y porthmon
tew at y forwyn.

"Diod merch fach i ! Rwy' wedi cwrdd â hen gyfell ac mae'n
rhaid i ni ddathlu."

Trodd at y gŵr bonheddig.

"Rhaid i chi gael glasied gyda ni, syr, er eich bod chi'n credu
fod popeth yn well gan y Sais nag sy' gan y Cymro."

"Ddwedes i ddim mo hynny o gwbwl," meddai'r gŵr
bonheddig, "rwyn Gymro fy hunan—o Abergafenni." Trodd at
Twm gan fowio. "Richard Olifer, syr, at eich gwasanaeth !"
Ac ymgrymodd unwaith eto.

"Mae'n dda gen i'ch nabod chi, syr," atebodd Twm.

"Mae eich ffrind, y porthmon, yn credu mae'r fuwch yw'r
anifail mwya' ardderchog yn y byd. O'm rhan fy hun, mae'n
well gen i geffylau. Rwy' ar fy nhaith i Henffordd—mae gen i
geffyl—y ' Grey Duke '—yn rhedeg yn y ras fawr yfory."

Gwnaeth y bonheddwr fow fach arall i Twm. Edrychodd
hwnnw ar ei wisg ffasiynol a'i wyneb crwn, pinc.

"O," meddai, "mae'r ' Grey Duke ' yn geffyl da mae'n
debyg ?"

"Rwyn barnu, syr—er na ddylwn i ddim dweud hynny
efalle—nad oes dim ceffyl tebyg iddo fe o fewn can milltir i'r
lle 'ma." Ac unwaith eto bowiodd i Twm !

Daeth y forwyn yn ôl â siwg a thri phot pridd ar hambwrdd.

"A !" meddai Rhys Parri, "yfwch chi gyda ni, syr ?"

Ymgrymodd y gŵr bonheddig i ddangos ei fod yn fodlon
gwneud y ffafr honno â'r porthmon.

Arllwysodd Rhys y ddiod ac estynnodd ei gwpan i bob un.

"Iechyd da !" meddai gan godi ei gwpan at ei enau.

"I'r ' Grey Duke '," meddai Twm gan godi ei un yntau.

Gwenodd y gŵr bonheddig ar hyn, a hawdd gweld fod Twm wedi ei blesio.

Ond trodd Rhys Parri ato.

"Mae gan fy nghyfaill yma gaseg, syr, caseg ddu—y bu'swn i'n fodlon rhoi pob dime goch sy' gen i arni, mewn ras yn erbyn unrhyw geffyl yn Lloeger !"

Chwarddodd Twm a deallodd nad dyna'r ddiod gyntaf i'r porthmon ei yfed y noson honno.

Gwgodd y gŵr bonheddig arno.

"Mae'n debyg eich bod chi'n ceisio dechre dadl arall, syr," meddai, gan roi ei gwpan i lawr ar y pentan heb yfed diferyn.

"Rwyn dweud y gwir," meddai Rhys Parri, gan daro'r bwrdd â'i ddwrn mawr.

Chwarddodd y gŵr bonheddig yn wawdlyd.

"Mae'n amlwg, syr, nad ydyn ni'n dau ddim yn siarad yr un iaith. Pan fydda i'n sôn am geffylau, rwyn meddwl am geffylau o waed, syr, nid am ferlod mynydd fel y rhai sy' gennych chi yng Nghymru."

Aeth y Porthmon yn gacwn gwyllt.

"Merlod mynydd ! Glywest ti Twm ? Ble mae'r gaseg ? Mae hi gyda ti gobeithio ?"

"Ydy, mae yng ngofal yr Osler ar hyn o bryd." Yna trodd at y gŵr bonheddig, "a phe bai amser yn caniatáu, syr, fe garwn i weld ras rhyngddi a'r ' Grey Duke ' . . ."

"Ie, neu unrhyw geffyl arall yn Lloeger, *syr!*" gwaeddodd y Porthmon, gan roi pwyslais arbennig ar y gair ' syr ' er mwyn dynwared y gŵr bonheddig.

Edrychodd hwnnw o un i'r llall heb ddweud dim am foment. Yna dywedodd yn bwyllog.

"Wel, gan fod y gaseg yma yn stabal y ' Black Horse ' fe garwn i gael cip arni, syr, os nad oes gwahaniaeth gennych chi."

"Dim gwahaniaeth o gwbwl," meddai Twm.

"Na, fe gewch chi 'i *gweld* hi am ddim," meddai'r Porthmon.

"Gawn ni fynd allan i'r stabal gyda'n gilydd gyfeillion," meddai'r dandi, gan fowio i'r ddau.

Aeth y tri am y drws. Ond cyn iddynt fynd allan daeth y forwyn i ofyn iddynt a oedd eisie iddi baratoi swper.

"Wrth gwrs," meddai Rhŷs Parri.

"Rwyf fi wedi swpera, diolch," meddai'r gŵr bonheddig. "Ar ôl gweld eich caseg chi, syr," gan droi at Twm, "mi fydda i'n mynd i'm hystafell i ysgrifennu tipyn. Rwyn arfer gwneud hynny bob nos cyn mynd i'r gwely."

Edrychodd y Porthmon yn wawdlyd arno ond llwyddodd i ddal ei dafod.

Pan ddaethant at y stabl yr oedd yr Osler bach yn pwyso ar ffrâm y drws.

"Mae'r gŵr bonheddig yma eisie gweld y gaseg ddu," meddai Twm wrtho.

"Caseg dda Mr. Olifer syr," meddai'r dyn bach gan symud o'r ffordd i'r tri gael mynd i mewn.

Yr oedd lamp fawr wedi ei chynnau yn y stabl erbyn hyn a gwelodd Twm fod yr Osler bach wedi gofalu'n dda am y gaseg. Yr oedd digon o geirch o'i blaen a disgleiriai ei chot ddu fel swllt.

"Dyma hi, syr," meddai Twm wrth y gŵr bonheddig.

Edrychodd hwnnw ar y gaseg, yna ar Twm, yna'n ôl ar y gaseg wedyn am dipyn heb ddweud yr un gair.

"Y creadur perta sy' wedi bod yn y stabal 'ma eriod, Mr. Olifer syr," meddai llais main yr Osler.

"Go lew gwas !" meddai'r Porthmon, gan roi ei law ar ei ysgwydd.

Chwarddodd y gŵr bonheddig.

"Wrth gwrs, 'dyw'r ' Duke ' erioed wedi bod yn stabal y ' Black Horse '," meddai, gan gerdded yn nes i gael gwell golwg ar y gaseg.

"Wel, beth amdani, syr ?" gofynnodd Twm.

"O, mae'n greadur digon pert, o ydy', ond 'dyw hi ddim yn deg 'i chymharu hi â'r ' Duke ' wrth gwrs. Mae hwnnw'n fwy o geffyl o lawer. Mae eich caseg chi, syr, yn ysgafn os ca' i ddweud hynny, yn rhy ysgafn fu'swn i'n ddweud ar gyfer ras hir fel hon yn Henffordd yfory. Mae eisie ceffyl mawr i redeg tair milltir."

"Rwyn anghytuno â chi, syr," meddai Twm yn swta.

"Coeliwch chi fi, syr, mae gen i brofiad helaeth o geffylau."

"Mae gen inne hefyd," meddai Twm, â min ar ei lais.

Ond aeth y boneddwr yn 'i flaen heb sylwi, neu heb hidio, fod llais Twm wedi newid.

"Ŷch chi'n gweld, mae gennym ni ddywediad yn Lloeger— ' Ceffyl ysgafn, ras fer,' ' Light horse, short race ! ' "

"O felly," meddai Twm, gan edrych yn ffyrnig ar y dandi, "mae gynnon ninne ddywediad yng Nghymru am geffyle llwydion fel eich un chi, a dyma fe, ' Ceffyl llwyd, byr ei wynt '."

Sythodd y gŵr bonheddig a gwthiodd ei frest allan fel ceiliog yn paratoi i ganu. Ond aeth Twm yn 'i flaen.

"A phe bai gen i amser i aros yn Henffordd 'fory, fe alle'r gaseg 'ma ddangos y ffordd adre i'r ' Grey Duke ' neu unrhyw geffyl arall ! "

Safai'r gŵr bonheddig yn syth ar lawr y stabl yn anadlu'n drwm. Ni ddywedodd yr un gair am funud ; edrychai fel pe bai'r geiriau yn ei dagu. Yna dywedodd yn uchel.

"Dwy'i ddim yn mynd i aros fan yma i gael fy insyltio, syr. Rwyn mynd i'm hystafell i ysgrifennu yn fy nyddiadur ; ac fe ellwch ddeall, syr, na fydd gen i ddim byd caredig iawn i'w ysgrifennu am y cwmni rydw i wedi i' gwrdd yn y dafarn 'ma heno. Mae'n biti na allech chi gymryd rhan yn y ras yfory, yna fe gaech chi weld pa mor fyr 'i wynt yw fy ngheffyl i ; ac unrhyw bryd y byddwch chi'n barod i fentro, syr, mi fetia i gan gini ar y ' Duke ' yn erbyn y tipyn creadur 'ma—unrhyw amser, syr. Nos da i chi !"

Ac wedi cyflwyno'r araith yma bowiodd i Twm a cherddodd allan yn syth, heb edrych ar y Porthmon na'r Osler.

Bu distawrwydd yn y stabl am funud, yna dechreuodd Rhys Parri chwerthin.

"O dier, 'na'i diwedd hi nawr Twm bach ! Fe fydd ein henwe ni yn y dyddiadur ! O dier beth 'nawn ni ? Dyna hi ar ben arnon ni nawr !"

*   *   *   *

Yn ddiweddarach y noson honno eisteddai Rhys Parri a Twm wrth dân cegin gefn y "Black Horse". Yr oedd Wilf yr Osler wedi dod i mewn ac wedi eistedd yng nghornel y simnai lwfer fawr heb ddweud yr un gair wrth neb.

"Yr arswyd Rhys Parri," meddai Twm, "oni bai 'mod i ar

neges dros y Ledi Eluned, fydde dim yn well gen i na chael
rhedeg yn y ras 'na fory."

"Wel, pam na wnei di ? Dim ond un diwrnod yn hwyrach
fyddi di. Ac os wyt ti'n credu'n siŵr fod siawns i'r gaseg ennill
fe fydde'n talu'r ffordd i ti aros. Myn brain i, fe garwn i pe
bait ti'n rhedeg yn y ras, ac yn curo ceffyl y dyn ofnadw' na."
A chododd Rhys ei olygon tua'r llofft uwch ben.

Edrychodd Twm yn feddylgar i'r tân am dipyn.

"Fe fydde'n gyfle i'r gaseg, Rhys Parri. Mae'n hen bryd
iddi gymryd rhan mewn ras fowr ; mae yn 'i hamser gore—yn
beder oed yn codi'n bump. Fe enillodd 'i mam yn erbyn rhai o
geffyle gore Lloeger. Fe garwn i gael cyfle i weld beth all hi
'neud."

"Wel, gwell i ti aros yn Henffordd fory te."

"Rwyn meddwl mai dyna fydde dymuniad yr hen Sgweier.
Dyna i gyd oedd e'n ddisgwyl amdano—yr amser pan fydde'r
gaseg ddu'n barod i rasio."

Bu distawrwydd wedyn am dipyn. Yna cododd Twm ar ei
draed yn sydyn.

"Mae'n mynd i ga'l 'i chyfle, Rhys Parri !"

"Rwyt ti'n mynd 'i rhedeg hi ?"

"Ydw."

"Ardderchog !" meddai Rhys, "fe fydd yn rhaid i fi fod yn
Henffordd yfory beth bynnag i ddisgwyl y gwartheg."

"O ? Phasies i ddim gyrr o wartheg ar y ffordd yma ?"

"Naddo mae'n debyg, os doist ti ar hyd y briffordd. Fe
ddylet ti w'bod Twm bach, fod y porthmyn yn osgoi'r priffyrdd
bob amser os oes modd. Ond fe fyddan' nhw'n cyrraedd
Henffordd rywbryd yn ystod y dydd yfory os bydd lwc, ac
rwy' inne am fod yn Henffordd o'u blaene nhw i ofalu fod yna
gae digon mowr 'u cadw nhw dros nos."

"Ŷch chi'n gw'bod rhywbeth o hanes y ras 'ma, Rhys
Parri ?"

"Mi wn i mai ar stâd Iarll Bonham mae hi'n cymryd lle.
Rwyn meddwl 'i fod e'n trefnu rasis mawr ddwywaith y
flwyddyn."

Yna daeth llais yr Osler bach o'r gornel.

"Mi fydda' i'n mynd iddi bob blwyddyn. Mae 'na gan punt
o wobr i'r ceffyl sy'n ennill."

"Beth ?" Edrychodd Twm yn syn arno.

"Mwy na hynny ambell waith, mae'n dibynnu faint o geffylau sy'n rhedeg yn y ras."

"Faint sy'n arfer rhedeg ?"

"Tuag ugain, mwy neu lai. Rwy'i wedi ennill y ras ddwywaith."

"Ti ?" meddai Rhys Parri.

"Do, roeddwn i'n arfer marchogaeth ceffylau Iarll Bonham 'i hunan, ond . . ."

"Ond beth ?" gofynnodd Rhys.

"Y tro diwetha' fe ge's i 'ngorfodi i golli'r ras."

"Dy orfodi i golli ? Beth wyt ti'n feddwl ?"

"Roedd 'na ddynion wedi rhoi arian mawr ar geffyl arall, a chyn y ras fe ddaethon nhw ata i . . . i mygwth i . . . i ddweud y bydden' nhw'n gwneud niwed i fi os byddwn i'n ennill. Ches i byth farchogaeth dros Iarll Bonham wedyn."

Edrychodd ei ddau wrandawr yn syn ar y dyn bach, ond yr oedd ef yn edrych yn fyfyrgar i'r tân erbyn hyn.

"O ble mac'r arian 'ma'n dod i dalu can gini i'r ceffyl sy'n ennill ?" gofynnodd Twm ymhen tipyn.

"Mae pob un sy'n rhedeg ceffyl yn y ras yn gorfod talu pum gini," meddai'r Osler.

"Beth ? Wel dyna'i diwedd hi wedi'r cwbwl te !" meddai Twm gan eistedd i lawr yn ei gadair.

"Na, mi fydda' i'n gofalu am y rhan yna o'r fusnes, Twm," meddai Rhys.

"Dim o gwbwl, Rhys Parri, chewch chi ddim."

"Mae gan y gaseg ddu siawns dda i ennill," meddai'r Osler.

"Sut wyt ti'n g'wbod ?" gofynnodd Twm.

Gwenodd yr Osler yng ngolau'r tân.

"Gewch chi weld fory yn Henffordd—fe fydd pawb yn gofyn i Wilf yr Osler pwy sy'n mynd i ennill. Ma' nhw'n gw'bod 'mod i'n deall ceffyle. Mi fydda' i'n rhoi sofren o fet ar eich caseg chi fory, os bydd hi'n rhedeg."

YN NHREF HENFFORDD

YR oedd tre Henffordd yn llawn pobl trannoeth, a'r rheiny
mewn hwyliau da bob un fe ellid meddwl, a barnu oddi wrth y
gweiddi a'r chwerthin a'r miri oedd yn mynd ymlaen yn y
strydoedd llawnion. Yr oedd y siopau parchus i gyd wedi cau
am y dydd, ond ar y palmant ar ochr y brif ffordd yr oedd
dwsinau o stondinau o bob math, yn gwerthu ffrwythau,
cacennau, melysion a nwyddau rhad. Wrth ambell un o'r
stondinau hyn fe allai dyn newynog brynu basnaid o gawl am
ddimai, wrth un arall fe allai bachgen ifanc brynu rhuban
lliwgar i'w gariad. A gwaeddai perchnogion y stondinau hyn
nerth eu cegau drwy'r amser, i ychwanegu at y sŵn a oedd yn
strydoedd Henffordd y diwrnod hwnnw.

Nid oedd y ras fawr i'w rhedeg tan dri o'r gloch yn y pryn-
hawn, ond cyn hynny roedd arddangosfa fuchod a cheffylau
gwedd, yn gyfyngedig i denantiaid Iarll Bonham. Hefyd yr
oedd dwy ras arall, un i geffylau tenantiaid yr Iarll a'r llall i
geffylau wedi eu geni a'u magu yn Henffordd.

Daethai Rhys Parri a Thwm i'r dre ymhell cyn cinio a
sylwodd Twm fod mwy nag un yn llygadu'r gaseg ddu fel y
troediai'n anesmwyth ac yn benuchel trwy'r torfeydd swnllyd.
Yr oedd y dorf mor drwchus mewn ambell stryd gul nes bod
rhaid i'r gaseg wthio'i ffordd drwodd bron, ac ofnai Twm yn ei
galon y byddai'r sŵn a'r cynnwrf yn gwneud iddi wylltio. O'r
diwedd cyrhaeddodd ef a Rhys ran dawelach o'r dref.

"Gwell i ni edrych am stabal i'r ceffylau Twm," meddai
Rhys. Ond er iddynt fynd o dafarn i dafarn i chwilio, yr oedd
pob stabl yn llawn. Yna gwelsant Wilf yr Osler yn sefyll ar
gornel y stryd. Nid oedd Wilf wedi newid dim o'i ddillad er y
diwrnod cynt ac roedd y gwellt yn glynu wrth y brethyn o hyd.
Ond yr oedd ganddo het newydd ar ei ben—het galed, loyw a'i
chantal yn pwyso ar ei glustiau.

Wedi holi dywedodd Wilf ei fod yn gwybod am le i gadw'r
ceffylau ac arweiniodd hwy trwy'r strydoedd culion nes dod at

dafarn bach glân yr olwg o'r enw "The Three Fishermen" i
lawr yn ymyl yr afon. Yr oedd Wilf yn adnabod yr Osler yno
ac addawodd hwnnw y byddai'r ceffylau'n cael pob gofal
ganddo. Wedi mynd i mewn i'r stabl gwelodd Twm fod yno
dri cheffyl yn barod ac mai dim ond dwy stâl wag oedd wedyn.
Yr oedd yn falch o hyn gan y gwyddai na fyddai rhagor o
geffylau'n dod i mewn i darfu ar y gaseg.

Wedi rhoi'r ceffylau'n ddiogel aeth Twm a Rhys, a Wilf
gyda hwy, i gerdded tipyn o gwmpas y dref, yn bennaf er
mwyn i Twm gael ei gweld, gan nad oedd ef wedi bod yno
erioed o'r blaen.

"Pw !" meddai Twm, wrth wthio'i ffordd trwy'r dyrfa,
"rwyn falch ca'l gwared ar y gaseg am dipyn ; rown i'n ofni yn
'y nghalon y bydde hi'n estyn cic at rywun."

Cerddai'r Osler bach ychydig gamau o'u blaenau, ac yn
awr ac yn y man cydiai rhyw hen gyfaill yn ei fraich a holi,

"Pwy sy'n mynd â hi heddi, Wilf ?"
neu,
"Ar p'un ohonyn' nhw mae dy arian di'n mynd heddi,
Wilf ?"

A phob tro atebai'r dyn bach, gan droi at Twm.

"Rwy'n betio sofren felen mai caseg ddu'r gŵr bonheddig
'ma fydd y cynta' adre, gewch chi weld."

Wedyn byddai'r holwyr eisiau gwybod enw'r gaseg, o
ble'r oedd hi'n dod, sawl ras oedd hi wedi ennill o'r blaen ?
Ond wedi ateb y cwestiynau hyn droeon fe flinodd Twm a
rhoddodd orchymyn i'r Osler beidio â chyfeirio ato ef fel
perchennog y gaseg. Ond cyn bo hir fe'i gwahanwyd ef a
Rhys Parri oddi wrth yr Osler gan y dyrfa fawr, a chawsant
lonydd i weld y dref heb orfod ateb rhagor o gwestiynau.

CYNLLUNIAU DRWG

MEWN ystafell gefn yng ngwesty'r "Golden Eagle" yn un o strydoedd mwyaf prysur Henffordd eisteddai dau ŵr bonheddig yn yfed gwin. Un ohonynt oedd Mr. Richard Olifer, perchen-nog y "Grey Duke", ac edrychai'n fwy trwsiadus a ffasiynol ei wisg yn awr na'r noson gynt yn y "Black Horse".

Gydag ef eisteddai gŵr bonheddig a edrychai dipyn yn hŷn nag ef, ond a oedd, a dweud y gwir, rai blynyddoedd yn iau. Ei enw oedd Syr Henry Mortimer, a fu unwaith yn dal swydd bwysig yn Swyddfa'r Llynges yn Llundain, ond a oedd wedi ei daflu allan o'r swydd honno am fod swm o arian y bu ef yn gyfrifol amdanynt wedi mynd ar goll. Ac er nad aeth neb ati i brofi dim, credai pawb mai ef oedd wedi eu gwario ar gardiau a cheffylau.

"Wyt ti'n gweld Richard," meddai Syr Henry, "rwy' i mewn dyled yn drwm iawn i'r Iddew. Wn i ddim erbyn hyn faint sydd arna' i iddo. Mae e'n pwyso am gael 'i dalu ers wythnosau bellach—yr hen gybydd brwnt ! Wyddost ti, rwy' mewn cymaint o ddyled yn Henffordd erbyn hyn, fel na alla' i ddim dangos fy wyneb ar y stryd ; ac os yw'r ' Duke ' yn mynd i golli'r ras yma heddi', mi fydda' i yng ngharchar y Fleet yn Llundain cyn diwedd yr wythnos."

"Syr Henry bach," meddai Richard Olifer gan wenu, "r'ŷch chi'n mynd i gwrdd â gofid. Mae'r ' Duke ' yn mynd i ennill. Mae e wedi curo gwell ceffylau na'r rhai sy'n rhedeg yn 'i erbyn e heddi. Felly byddwch yn galonnog syr 'da chi. Erbyn pedwar o'r gloch y prynhawn 'ma se fyddwch chi'n gallu cwrdd â'ch holl ddyledion, syr, ac yn gallu dangos eich wyneb ble mynnoch chi."

"Gobeithio hynny wir. Cofia—rwy' i wedi benthyca dau gan gini oddi wrth un o siopwyr y dre i'w gosod ar y ' Duke.' Dyn a ŵyr ble mae'r siopwyr 'ma'n cael yr holl arian."

Chwarddodd Richard Olifer.

"Prynu'n rhad a gwerthu'n ddrud, Syr Henry, dyna'u cynfrinach nhw."

Ar y gair agorodd y drws a daeth pen hanner moel i'r golwg. Trodd Syr Henry at y drws.

"Quinn !" gwaeddodd, "pam na guri di'r drws cyn 'i agor e ? Beth wyt ti'n mofyn ? Y tipyn gwas sy' gen i yw hwn, Richard."

Cododd Richard Olifer ar ei draed.

"Wel, Syr Henry, mae'n rhaid i mi fynd. Ond byddwch yn esmwyth eich meddwl, syr, fydd y ' Grey Duke ' ddim yn debyg o'ch siomi chi'r prynhawn yma."

"Gobeithio hynny wir. Mi fydda i yno yn gwylio'r ras wrth gwrs."

Ar ôl i Richard Olifer fynd, trodd Syr Henry at ei was a gwgodd arno.

"Wel, beth sy'r gwalch ?" gofynnodd.

"Rwy' newydd weld Wilf bach yr Osler yn y dre, syr."

"O ie. A beth oedd ganddo fe i' ddwcud ?"

"Mae e'n dweud mai rhyw gaseg ddu o Gymru sy'n mynd i ennill heddi'."

"Beth !" gwaeddodd Syr Henry yn gyffrous, "ydy' Wilf yn dweud hynna ?"

Cododd ar ei draed a cherddodd yn wyllt at y lle tân.

"Ond wyddwn i ddim fod caseg ddu'n rhedeg . . . ?"

"Mae'n debyg 'i bod hi wedi dod i mewn ar y funud ola', syr. Rwy'i wedi clywed sawl un yn sôn fod yna gaseg ddu hardd wedi cyrraedd y dre'r bore 'ma."

"Ond Quinn, 'dyw hi ddim yn mynd i ennill ! Mae Richard Olifer newydd ddweud fod y ' Duke ' yn saff ohoni."

"Wel, rwy' wedi clywed fod Wilf yn betio ar y gaseg ddu, syr."

"Yr arswyd y byd, dyma newydd ofnadwy ! Pwy sy'n marchogaeth y gaseg ddu ?"

"Rwy'i wedi clywed mai'r perchennog, syr."

"Pwy yw'r perchennog ?"

Ysgydwodd y gwas ei ben.

"Wn i ddim, syr. Ond rwy'i wedi 'i weld e'n cerdded o gwmpas y dre beth amser yn ôl gyda Wilf ; ac fe'i gweles i e' funud yn ôl hefyd, ond doedd Wilf ddim gydag e."

Edrychodd Syr Henry'n fileinig o gwmpas yr ystafell, yna'n ôl ar ei was.

"Quinn !" meddai rhwng ei ddannedd, "fe fydd rhaid i ni ofalu na fydd y gaseg ddu yna ddim yn rhedeg yn y ras prynhawn 'ma !"

TWM MEWN TRYBINI

CERDDAI Twm yn araf yn ôl tua'r gwesty ar lan yr afon lle'r oedd y gaseg. Ar ôl bod gyda Rhys Parri'n gweld stiward Iarll Bonham a thalu'r pum gini oedd yn ddyledus cyn y gallai'r gaseg redeg yn y ras, dywedodd Rhys ei bod yn bryd iddo ef fynd i weld perchennog y cae mawr yn ymyl y dref, lle y bwriadai droi'r gwartheg pan gyrhaeddent Henffordd. Gwrth-ododd Twm fynd gydag ef gan ei fod, yn ddistaw bach, yn anesmwyth ynghylch y gaseg. Er iddo deimlo rhyddhad mawr pan lwyddwyd i gael stabl iddi, er mwyn osgoi'r tyrfaoedd yn y dref, ni allai deimlo'n hapus â hithau mewn stabl ddierth heb neb yn edrych ar ei hôl ond osler o Sais.

Felly ymadawodd â Rhys ar ôl cytuno i gwrdd â'i gilydd yn y "Three Fishermen" am hanner awr wedi dau.

Nid oedd hi eto ond un o'r gloch yn y prynhawn, ac felly roedd digon o amser cyn y ras. Cerddai Twm yn hamddenol, gan aros yn awr ac yn y man i edrych yn ffenestri'r siopau. Bu'n loetran o gwmpas y Farchnad wedyn, ac o flaen yr eglwys. Ond o dipyn i beth gadawodd y strydoedd poblog, swnllyd o'i ôl a dechrau cerdded trwy'r ffyrdd cul i gyfeiriad yr afon. Yn y strydoedd cul, troellog hyn edrychai ffenestri llofft y tai fel pe baent ar fin cwrdd â'i gilydd ar draws y ffordd.

Yn sydyn sylweddolodd Twm fod dau ddyn yn ei ddilyn. Cerddodd yn fwy araf eto, er mwyn iddynt gael cyfle i fynd heibio ; ond arafodd y ddau ddyn hefyd, gan gadw yr un pellter oddi wrtho. Rhoddodd Twm ei law ar ei wasgod lle'r oedd perlau'r Fonesig Eluned. Gallai eu teimlo o dan ei fysedd.

Daeth Twm allan o un stryd gul ac i mewn i'r llall. Hwyrach y byddai'r ddau ddyn yn mynd ryw ffordd arall. Ond na, yr oeddynt yn ei ddilyn o hyd.

Dechreuodd Twm deimlo'n gynhyrfus. Daeth i gornel y stryd a throdd i'r dde. Daeth at ddrws caeëdig a'i wasgu ei hun yn ei erbyn. Clywodd sŵn traed y ddau ddyn yn nesáu at y gornel. Safai Twm ar flaenau ei draed yn barod os deuai'r ddau tuag ato.

Ond aeth y ddau ddyn yn eu blaen i gyfeiriad yr afon.

Tynnodd Twm anadl hir o ryddhad, ac wedi oedi tipyn, aeth ymlaen i'r un cyfeiriad.

Nid oedd sôn am y ddau ddyn yn awr, yn wir nid oedd enaid byw i'w weld yn y stryd. Clywodd y cloc yn nhŵr yr eglwys yn taro. Hanner awr wedi un ! Ymhen awr a hanner byddai ef a'r gaseg yn herio rhai o geffylau gorau Lloegr. Dechreuodd gerdded yn gynt.

Yna disgynnodd rhywbeth trwm ar ei wegil a fflachiodd gwreichion o boen trwy ei ymennydd. Teimlodd ei goesau'n rhoi o dano ac wrth syrthio i'r llawr gwelodd ddyn wyneb llwyd mewn dillad duon anniben yn edrych i lawr arno. Yna cafodd ergyd arall ar ei ben ac aeth yn nos sydyn arno.

TWM AR GOLL

"Mae'n chwarter i dri ! Ble gall e fod ?"

Cerddai Rhys Parri yn ôl ac ymlaen ar lawr cegin y ' Three Fishermen ' fel llew mewn caethiwed. Â'i drwyn yn y ffenest yn edrych allan i'r stryd yr oedd Wilf bach yr Osler.

"Mae e wedi colli'r ffordd yn strydoedd bach, cul y dre 'ma, dyna sy' wedi digwydd," meddai Rhys, gan ei ateb ei hunan. Pwysai tafarnwr y ' Three Fishermen ' ar ffrâm y drws yn edrych yn hollol ddigyffro ar Rhys yn cerdded o gwmpas.

"Falle'i fod e wedi mynd o'ch blaen chi . . ." awgrymodd.

Safodd Rhys ar ganol y llawr.

"Mynd i ble, ddyn ?" gofynnodd.

"I . . . i'r Plas."

"Ond mae'r gaseg yn y stabal !" gwaeddodd Rhys.

"Efalle'i fod e wedi mynd hebddi ?"

"Ond mae'r gaseg yn rhedeg yn y ras, ddyn !"

"O," meddai'r tafarnwr.

Trodd Wilf oddi wrth y ffenest.

"Ddaw e ddim, Mr. Parri," meddai yn ei lais main.

Am y tro cyntaf dechreuodd Rhys feddwl am y posibilrwydd hynny.

"Ond mae'n rhaid iddo ddod. Mae e wedi aros yn Henffordd ar 'i ffordd i Lunden i redeg yn y ras. Rydyn ni wedi talu'r pum gini !"

"Ond fe fydd y ras yn dechre mewn llai na chwarter awr ; fe fydd e'n rhy hwyr . . ."

Eisteddodd Rhys Parri ar y sgiw.

"Wel, dyna hi ar ben 'te. Rown inne wedi gosod bet ar y gaseg."

"A finne hefyd," meddai'r Osler.

Bu distawrwydd trwm yn y gegin am funud. Clustfeiniai Rhys am sŵn troed Twm, ond yr oedd pobman fel y bedd. Yr oedd pawb a allai gerdded wedi mynd i weld y ras fawr.

"Fe allwn i farchogaeth y gaseg," meddai'r Osler bach yn dawel.

Cododd y Porthmon ar ei draed ac edrychodd i lawr i fyw llygad y dyn pitw. Yna ysgydwodd ei ben.

"Na, dim ond Twm all 'i thrin hi."

"Fe alla' i 'i thrin hi," meddai'r Osler.

"Diawch !" gwaeddodd y Porthmon. Ond ysgydwodd ci ben wedyn. "Na. Beth bynnag mae'n rhy hwyr nawr . . ."

"Na, mi fedrwn i fod yno mewn pum munud ond i chi ddweud y gair, 'dyw hi ddim ymhell."

"Clyw nawr," meddai Rhys, "yn un peth mi fydde'r gaseg wedi dy daflu di cyn dy fod di hanner ffordd, a pheth arall pa hawl sy' gen i roi caniatâd i ti. Nawr gad fi'n llonydd !"

Trodd yr Osler ymaith.

"Fe fydd Mr. Olifer yn lwcus nad yw'r gaseg o Gymru ddim yn rhedeg," meddai.

Trawodd Rhys ei ddwrn mawr ar dor ei law sawl gwaith. Yna taflodd lygad ar y cloc ar fur y dafarn. Yr oedd y bysedd yn symud yn beryglus o agos i dri. Dechreuodd regi'n huawdl— mor huawdl yn wir nes deffro edmygedd y tafarnwr cysglyd.

Yna troes y Porthmon i edrych ar yr Osler.

"Ydy hi'n rhy ddiweddar ?" gofynnodd.

"Nac ydy, dyw'r ras byth yn dechre am dri i'r funud."

"O'r gore, fe gaiff y gaseg redeg. Ond cofia os digwyddith unrhyw niwed iddi, fe dorra i bob asgwrn yn dy gorff di â'r ddwy law 'ma. Pam 'rwyt ti'n aros fanna ? Dos i roi cyfrwy arni'r ffŵl !"

Cyn pen dwy funud yr oedd y gaseg allan ar ganol iard y dafarn wedi ei chyfrwyo, a chydag un naid ysgafn disgynnodd y dyn bach yn y cyfrwy.

"Brysia nawr, a bydd yn ofalus," gwaeddodd Rhys o'r drws, "mi fydda i'n dod ar dy ôl di cyn gynted ag y galla' i."

Ond yr oedd y gaseg, â'r dyn bach ar ei chefn, wedi mynd.

RHY HWYR

DAETH Twm ato'i hunan yn araf. Am amser gorweddodd heb symud gewyn. Sylweddolodd yn raddol ei fod yn gorwedd ar ei wyneb ar lawr budr, bawlyd. Gallai glywed sŵn dŵr heb fod ymhell a meddyliodd ei fod yn rhywle'n agos i'r afon.

Yna cofiodd am y "Three Fishermen". Yr oedd hwnnw'n agos i'r afon. Beth oedd wedi digwydd iddo ?

Mewn fflach cofiodd am y ras, ac am y dyn â'r dillad duon a'r wyneb llwyd. Pwy oedd e ? Pam yr oedd e wedi ymosod arno ? Faint o'r gloch oedd hi ?

Yr oedd ar fin ceisio codi ar ei draed pan glywodd lais yn ei ymyl yn dweud,

"Mae e'n cysgu'n dawel, Quinn."

Yna llais arall.

"Ydy, ac mae bron yn dri o'r gloch. Mae'n debyg na fydd dim eisie cernod arall arno fe."

"Na fydd," atebodd y llais cyntaf, "pan glywn ni dri o'r gloch yn taro ar gloc yr eglwys, fe allwn ni fynd a'i adel e. Rwy' i am weld diwedd y ras beth bynnag."

"Wrth gwrs, 'i gadw fe'n dawel nes bydde'r ras yn dechre o'dd ein gwaith ni. Unwaith bydd hi'n taro tri fe allwn ni 'i gwân hi."

"Beth gawn ni gan yr Iddew am hon tybed ?" gofynnodd y llall.

Ond cyn iddo gael ateb i'w gwestiwn dechreuodd cloc yr eglwys yn y pellter daro tri.

"Tyrd, gad i ni fynd."

A chlywodd Twm sŵn traed yn cerdded ymaith, yna drws yn cau.

Cododd ar ei eistedd ac ar unwaith aeth brathiadau o boen trwy ei ben. Edrychodd o gwmpas. Yr oedd mewn rhyw hen sgubor neu warws wag, ond bod llawer o annibendod ynddi. Cododd ar ei draed ac aeth yn sigledig am y drws. Yr oedd ynghau ond nid ynghlo.

Agorodd y drws ac ar unwaith trawodd golau'r haul ei
lygaid, ac ni allai weld dim am eiliad. Ond wedi cyfarwyddo â
golau dydd unwaith eto sylwodd fod hen ŵr yn gweithio mewn
gardd fechan yr ochr arall i'r ffordd. Aeth Twm draw ato.

"Prynhawn da," meddai, "fedrwch chi . . . ?"

"Ho-ho !" meddai'r hen ŵr gan adael ei waith a dod yn nes
at Twm, "mae'n dda gen i weld un sy' ddim wedi mynd i weld
y ceffyle. Ma' pobol y dre 'ma wedi mynd—rasis ceffyle a
phob math o wagedd. Fydde tipyn gwell iddyn' nhw . . ."

Torrodd Twm ar ei draws yn ddi-amynedd.

"Fedrwch chi ddweud wrthw i sut mae mynd i'r ' Three
Fishermen ' os gwelwch yn dda ?"

"Wrth gwrs y galla' i, mae e yn ymyl. I'r ' Three Fishermen '
y bydda i'n mynd i gael peint o gwrw ambell waith—dim ond
ambell waith cofiwch. Os arhoswch chi i fi ga'l gorffen fan
hyn . . ."

"Rwy' am fynd yno nawr," meddai Twm.

"O'r gore, o'r gore, does dim eisie colli amynedd. Ewch chi
draw ar hyd y stryd yma nawr, wedyn troi i'r chwith a dyna
chi'n mynd lawr ar eich pen i'r ' Three Fishermen '."

"Diolch," meddai Twm a dechreuodd redeg.

Cyrhaeddodd y dafarn yn ddi-drafferth ac aeth yn syth i'r
stabl. Gwelodd ar unwaith nad oedd y gaseg ddu na cheffyl
Rhys Parri yno.

Aeth i mewn i'r dafarn a gwaeddodd dros y lle sawlgwaith,
ond ni ddaeth yr un enaid byw i'r golwg.

Rhedodd yn wyllt yn ôl i fyny'r stryd at yr hen ŵr yn yr
ardd ac wedi holi a gorfod aros yn amyneddgar am ateb, fe
gafodd wybod ym mha gyfeiriad yr oedd stâd Iarll Bonham.

Wedi rhedeg i'r cyfeiriad hwnnw am dipyn, trwy'r strydoedd
bach mwyaf cymhleth, meddyliodd yn siŵr ei fod wedi colli'r
ffordd. Ond ymhen tipyn gallai glywed sŵn gweiddi pell ac
aeth i'r cyfeiriad hwnnw. Deuai sŵn yn gryfach o hyd a gwydd-
ai ei fod ar y ffordd iawn.

Y RAS FAWR

CEISIODD Twm wthio'i ffordd trwy'r dyrfa fawr o bobl a oedd
yn ei rwystro ar bob ochr. Yr oedd yn ddigon tal i allu gweld
dros bennau'r rhan fwyaf o'r gwŷr a'r gwragedd, a gallai weld
caeau gleision yn ymestyn i'r pellter. Yna clywodd sŵn
rithmig, trwm yn dod yn nes a gwyddai mai sŵn carnau
ceffylau yn rhedeg ar eu heithaf ydoedd. Clywodd y dyrfa'n
bloeddio'n uwch. Gwthiodd yn galetach, ond cyn iddo gyrr-
aedd blaen y dorf clywodd y ceffylau'n rhuthro heibio. Yna
clywodd lais yn gweiddi yn Gymraeg heb fod ymhell oddi
wrtho.

"Gad iddi fynd! Gad iddi fynd!"

Y Porthmon!

Symudodd Twm ddau neu dri dyn tew o'r ffordd yn ddi-
seremoni a daeth i ymyl Rhys Parri, a safai yn y rhes flaenaf â'i
wyneb yn goch fel tân.

"Rhys Parri!"

"Twm! Ble'r wyt ti wedi bod? Beth ddigwyddodd i ti?"

"Na hidiwch am hynny nawr, Rhys Parri. Ble mae'r
gaseg?"

"Mae'n rhedeg Twm! 'Co hi fan draw!"

"Yn rhedeg? Pwy sy' ar 'i chefen hi te?"

"Wilf—Wilf yr Osler . . . 'doedd dim sôn amdanat ti yn un
man."

Ond nid oedd Twm yn gwrando. Yr oedd ei lygaid yn dilyn
y ceffylau. Gwelodd fod tipyn o bellter rhwng y ceffyl blaenaf
a'r olaf ac roedd y gaseg ddu rywle tua'r canol.

"Mae hi 'mhell ar ôl Rhys Parri!"

"Ydy'. Nawr own i'n gweiddi ar y ffŵl 'na am roi ffrwyn
iddi."

"Faint sy' ar ôl o'r ras?" gofynnodd Twm.

"Mae'r cylch 'ma weli di o dy fla'n yn filltir mae'n debyg, ac
ma' rhaid i'r ceffylau fynd o gwmpas dair gwaith."

"Sawl gwaith ma' nhw wedi mynd yn barod?"

"Unwaith. Roedd y ras yn hwyr yn dechre."

"O, mae gobeth 'to te," meddai Twm, gan droi i edrych o'i gwmpas.

Yn is i lawr na'r fan lle safent sylwodd fod yna fath o lwyfan mawr wedi ei godi, ac ar hwnnw yr oedd nifer o foneddigion,— yn ddynion ac yn ferched, yn gwylio'r ras.

"Y cynta' heibio fanco'r trydydd tro fydd yn ennill y ras, Twm. Mae Iarll Bonham ar y llwyfan 'na."

Ond yr oedd llygaid Twm yn ôl ar y ceffylau. Er ei bod ymhell oddi wrtho, gallai weld fod y gaseg yn rhedeg yn llyfn ac yn rhwydd ; ond yr oedd hi'n rhy bell ar ôl wrth ei fodd. Fe deimlai mor gynhyrfus fel na allai gadw'i ddwylo na'i draed yn llonydd, ac fe roddai'r byd y funud honno am gael bod ar gefn y gaseg, yn ei chymell ymlaen.

Aeth y ceffylau'n gyflym o gwmpas y cylch a chyn pen fawr o dro gwelodd Twm geffyl llwyd anferth yn taranu tuag atynt, â'i wddf yn estynedig a'i ffroenau'n llydan-agored.

Yna yr oedd wedi rhuthro heibio a phedwar neu bump o geffylau eraill yn dynn wrth ei sodlau.

"Y Nefoedd Fawr ! Roedd y llwyd yn mynd, Twm !" gwaeddodd Rhys Parri.

"Y 'Grey Duke'," meddai Twm.

Yna gwelodd y gaseg ddu'n dod tuag ato a'r Osler fel botwm ar ei chefn. Am un eiliad cafodd Twm olwg ar wyneb y dyn bach. Yr oedd ei lygaid yn fflachio a'i ddannedd i gyd yn y golwg. Yna yr oedd wedi mynd heibio ar ôl y lleill. Ond cyn iddo fynd roedd Twm wedi sylwi ar rywbeth arall.

"Roedd e'n dala'r ffrwyn yn dynn, Rhys Parri ! Sylwoch chi ?"

"Do, be' sy'n mater arno fe, dwed ?"

"Mae e'n 'i dala hi nôl."

Dechreuodd Twm rifo'r ceffylau a oedd o flaen y gaseg. Tri, pedwar, pump, chwech, saith . . . wyth ! Roedd hi'n rhy bell ar ôl.

"Mae'r llwyd yn ennill tir, Twm !" gwaeddodd Rhys. Ac yn wir yr oedd y 'Grey Duke' wedi agor bwlch go fawr rhyngddo a'r gweddill. Roedd enw'r ' Duke ' ar wefusau pawb o'u cwmpas yn awr.

Gwelodd Twm ddau o'r ceffylau, a oedd o flaen y gaseg, yn cloffi ac yn syrthio'n ôl. Ond yr oedd pump o'i blaen o hyd, heb sôn am y ceffyl llwyd, a oedd yn glir ar y blaen.

"Mae'r 'Duke' wedi troi am adre," gwaeddodd Rhys, "dim ond hanner milltir sy' ar ôl o'r ras !"

Ni allai Twm dynnu ei lygaid oddi ar y gaseg ddu.

"Does dim mwy na chwarter milltir gan y llwyd i fynd !" gwaeddodd Rhys.

Yna gwelodd Twm yr Osler bach yn plygu'n is ar gefn y gaseg. Yn awr yr oedd ei ben o'r golwg yn ei mwng, a oedd yn chwifio yn y gwynt.

"Mae e' wedi rhoi 'i phen iddi, Rhys Parri !" gwaeddodd.

"Fe ddyle fod wedi g'neud hynny cyn hyn !" gwaeddodd Rhys yn ôl.

Yna gwelodd Twm y gaseg yn symud heibio i ddau geffyl arall. Yr oedd hi'n mynd yn awr ar ei heithaf.

"Yr arswyd mae hi'n mynd nawr, Twm !" meddai Rhys.

Ni allai Twm ddweud dim. Fe deimlai lwmp yn ei wddf wrth wylio'r gaseg brydferth yn gwneud ei hymdrech fawr.

Daeth y gaseg yn 'i blaen, yn rhedeg yn awr o ddifri calon, a chyda'r fath gyflymdra fel y distawodd y gweiddi croch. Fe deimlai pawb fod rhywbeth yn anorchfygol yn y ffordd yr oedd hi'n rhedeg yn awr.

Nid oedd ond y 'Grey Duke' o'i blaen, ac yr oedd hi'n cau'r bwlch rhyngddi â hwnnw'n gyflym.

Gwyddai Twm yn ei galon erbyn hyn ei bod hi'n mynd i ennill, gwyddai y byddai'r Osler bach yn galw arni am un ymdrech olaf i fynd heibio i'r ceffyl llwyd, ac yr oedd yn ei hadnabod yn ddigon da i wybod y byddai'r gwaed balch yn ei gwythiennau yn ateb yr alwad.

Yn y diwedd aeth heibio i Twm ugain llath o flaen y 'Grey Duke', ond prin y gwelodd Twm hi'n mynd gan fod dagrau o falchder lond ei lygaid. Trodd at Rhys Parri ac roedd y dagrau'n rhedeg i lawr dros fochau coch hwnnw hefyd.

COLLI'R PERLAU

'Dyw hi ddim yn hawdd disgrifio'r hyn oll a ddigwyddodd wedyn. Aeth y dyrfa fawr yn wallgof. Roedd y rhan fwyaf ohonynt wedi rhoi eu harian ar y ' Grey Duke ' ac fe ellid gweld llawer o wynebau hirion o gwmpas y maes. Ond yr oedd llawer nad oeddynt wedi betio ar un o'r ceffylau, ac roedd y rheiny'n uchel eu clod i'r ffordd yr oedd y gaseg ddu wedi dod ar y diwedd i herio'r ceffyl llwyd.

Aeth Twm a'r Porthmon i edrych am yr Osler a'r gaseg, a daethant o hyd iddynt ymhen tipyn ar ôl gwthio'u ffordd trwy'r dorf, a oedd yn gylch amdanynt, yn edmygu'r gaseg.

Pan dorrodd Twm drwy'r cylch roedd yr Osler yn ateb cwestiynau o'r dorf.

"Oeddet ti'n meddwl y byddet ti'n ennill ?"

"Fe wyddwn i o'r dechre."

"Roeddet ti 'mhell ar ôl."

"Fi oedd yn 'i dal hi nôl."

"Pwy yw'r perchennog te, Wilf ?"

"Gŵr bonheddig o Gymru. A ! Dyma fe'n dod nawr. Wel, syr, welsoch chi'r ras ?"

Aeth Twm yn syth at y gaseg a thynnu ei law dros ei gwddf, a oedd yn wlyb domen gan chwŷs.

"Do", meddai wedyn, "beth oeddet ti'n feddwl ohoni ?"

"Mae hi'n well nag oeddwn i'n farnu, syr."

"Yn wir ? Ond fe ddwedest ti y bydde hi'n ennill . . ."

"Doeddwn i ddim yn disgw'l iddi ennill mor hawdd. Rwy' i wedi marchogaeth ceffyle gore Iarll Bonham, ond weles i erioed geffyl yn rhedeg mor gyflym ar ddiwedd ras dair milltir. "

Yna gwaeddodd rhywun,

"Mae'r Iarll yn holi am berchennog y gaseg ddu !"

"Twm," meddai'r Porthmon, "fe fydd rhaid i ti fynd i fyny i'r llwyfan . . ."

"I beth ?"

"I gael eich cyflwyno i'r Iarll, syr," meddai'r Osler, "mae'n arferiad . . . ac i ga'l y wobr wrth gwrs."

Pan ddringodd Twm i'r llwyfan gwyddai fod nifer fawr o foneddigion mewn dillad lliwgar, yn wragedd, merched a dynion o bob oed, yn edrych yn syn arno. Edrych braidd yn wawdlyd ar ei ddillad brethyn cartref a wnâi llawer ohonynt, ond yr oedd rhai o ferched bonheddig, glandeg Henffordd yn edrych hefyd ar ei gorff lluniaidd ac ar ei wyneb llwyd golygus, â'r cudyn du o wallt yn hongian dros ei dalcen.

Os oedd swildod yn poeni Twm y funud honno ni ddangosai hynny yn ei ymddygiad. Safai ar y llwyfan a'i gefn yn syth a'i lygaid duon yn edrych yn gŵl dros y gwahanol wynebau o'i gwmpas.

Arweiniwyd ef at ŵr bonheddig penwyn, gwelw a oedd yn eistedd ar gadair, a synhwyrodd Twm mai hwn oedd yr Iarll.

"Maddeuwch i mi am beidio â chodi," meddai'r Iarll mewn llais mwyn, "rwyn methu . . . effaith hen ddamwain . . . eisteddwch."

Gwelodd Twm fod cadair wag yn ei ymyl ac eisteddodd ynddi.

"Ras ardderchog," meddai'r Iarll, "doedd neb yn disgwyl iddi orffen fel y gwnaeth hi. Mae gennych chi gaseg eithriadol . . . rŷch chi'n dod o Gymru rwyn deall . . . ga' i ofyn o ble ?"

"Sir Aberteifi syr," meddai Twm, "lle bach o'r enw Tregaron, mae'n debyg nad ŷch chi ddim wedi clywed am y lle ?"

"Do'n wir, mae gen i hen gyfaill yn byw yno ; Syr Harri Prys. Rŷch chi'n 'i nabod e wrth gwrs ?"

"Mae Syr Harri wedi marw ers mwy na dwy flynedd."

"Dŷch chi ddim yn dweud! Wel, wel, mae'n ddrwg gen i glywed. Fe enillodd caseg Syr Harri y ras yma flynyddoedd yn ôl . . . arhoswch chi beth oedd 'i henw hi ? Seren . . . ? Seren y Dwyrain ?"

"Merch Seren y Dwyrain yw'r gaseg a enillodd heddi' syr."

Gwenodd yr Iarll.

"Rown i'n ame. Rwyn cofio'r Seren yn dda . . . un ddu oedd hithe hefyd . . . mae'r brïd wedi dod o Arabia ?"

"Rŷch chi'n iawn, syr."

Trodd yr Iarll at ŵr bonheddig a oedd yn eistedd yr ochr arall iddo.

"Philip, rwyt ti'n cofio Syr Harri Prys ? Maddeuwch i mi,"
meddai gan droi at Twm, " dyma Syr Philip Townsend, cyfaill
i mi."

"Nabod Syr Harri !" meddai Syr Philip, "ond oedden ni'n
gyfeillion mynwesol ?"

"Mae'n ddrwg gen i ddweud," meddai'r Iarll, "rwy' i
newydd gael gwybod gan y gŵr ifanc 'ma . . . Mr. . . . ?"
Edrychodd yr Iarll mewn penbleth ar Twm.

"Twm, syr," meddai hwnnw.

Cododd yr Iarll ei aeliau.

"Mr. Twm ? Maddeuwch i mi . . . ai dyna'ch enw chi ?"

"Ie, syr, Twm Siôn Cati."

Twm . . . Siôn . . . Cati ! Rhaid i chi faddau i mi os yw'r
enw Cymraeg yn swnio . . . y . . . braidd yn od, ond mae'n
debyg 'i fod e'n enw digon cyfarwydd yng Nghymru . . . ac
mai arna' i mae'r bai . . ."

Gwenodd Twm yn awr a theimlodd ei galon yn cynhesu at
y boneddwr moesgar yma.

"Na, syr, 'dwy' i ddim yn meddwl 'i fod e'n enw cyffredin."

"A ! Wel Philip," meddai'r Iarll gan droi'n ôl at ei gyfaill,
"mae Twm Siôn Cati newydd roi gwybod i mi fod Syr Harri
wedi marw ers dwy flynedd."

"Wel, wel !" Edrychodd yr hen ŵr bonheddig draw dros
gaeau gleision y stâd a bu'n ddistaw am ennyd. Yna troes at yr
Iarll.

"Roedd e'n ffrind mawr i mi, Paul, flynyddoedd yn ôl. Wel,
wel, mae nifer ein cyfeillion ni'n mynd yn llai o flwyddyn i
flwyddyn."

Rhoddodd yr Iarll ei law wen, ddelicet ar ei ben-glin.

Ond mewn winc cododd yr hen Syr Philip ar ei draed.
'Roedd cleddyf hir yn hongian wrth ei wregys, a safai mor syth
â milwr gan edrych yn ffyrnig ar Twm.

"Mae gennyt ti gaseg fan yna ! Fe all wneud dy ffortiwn i
ti ! Dyna'r rhedeg perta weles i ers blynyddoedd ! Ac rwy'
wedi gweld rhai o geffyle gore'r byd yn rhedeg, syr !"

Chwythodd trwy ei fwstas ac edrychodd yn ffyrnicach fyth.
Wedyn estynnodd ei law a chydiodd Twm ynddi.

"Ga' i ofyn ble bydd y gaseg ddu'n rhedeg nesa' ?" gofynnodd Syr Philip, "i fi ga'l bod yno i' gweld hi'n dangos y ffordd adre iddyn nhw."

"Rwy' ar 'y nhaith i Lunden, syr—ar fusnes," meddai Twm, "ac ar ôl gorffen 'y musnes, mi fydda' i'n dychwelyd i Gymru."

Edrychodd yr hen ŵr yn syn arno.

"Dychwelyd i Gymru ! Yr amser 'ma o'r flwyddyn ? Ond fachgen dyma dymor y rasis mawr."

Ysgydwodd Twm ei ben.

"Efallai blwyddyn nesa', syr. Ar hyn o bryd rwy' ar fusnes."

Y funud honno cododd ei law a'i gosod ar ei wasgod, ac aeth ei fysedd trwy rwyg yn y brethyn. Yn wyllt gwthiodd ei law'n ddyfnach i'r leinys, ond roedd rhaff berlau'r Ledi Eluned wedi diflannu !

YN SIOP YR IDDEW

Yn ôl yng nghegin gefn y "Three Fishermen" cerddai Twm Siôn Cati yn ôl a blaen ar lawr y gegin gefn. Eisteddai'r Porthmon a'r Osler ar sgiw yn ymyl y tân gan edrych yn anesmwyth arno. Unwaith neu ddwy roedd y Porthmon wedi agor ei geg i ddweud rhywbeth, ond wedyn teimlai nad oedd dim y gallai ef ei ddweud i helpu o dan yr amgylchiadau. O gegin fawr y dafarn, am y mur â hwy, deuai sŵn chwerthin a siarad uchel.

Yn sydyn stopiodd Twm ar ganol y llawr. Cododd ei ben ac edrychodd yn wyllt ar y ddau.

"Rwy'i newydd gofio !" meddai.

"Cofio beth ?" gofynnodd y Porthmon.

"Fe ddwedodd un o'r ddou sgamp yna rywbeth fel . . . arhoswch chi nawr . . . fel . . . ' faint wyt ti'n feddwl gawn ni gan yr Iddew am hon ? ' Ie dyna ddwedodd e. 'Dŷch chi ddim yn gweld ? Siarad am y rhaff berle 'rocdd e ! Pwy yw'r Iddew ?"

Ysgydwodd Rhys Parri ei ben.

Trodd Twm at yr Osler.

"Dim ond un Iddew y gwn i amdano . . .," meddai'r dyn bach.

"Pwy yw e ? Ble mae e'n byw ?"

"Yr hen Amos Cohen, mae e'n cadw siop ail law yn y dre 'ma, ac mae e'n rhoi benthyg arian ar lôg. Mae rhai o wŷr bonheddig mwya'r dre 'ma mewn dyled iddo fe, dros 'u pen a'u clustie."

"Wyt ti'n nabod rhywun o'r enw Quinn ?" Ysgydwodd yr Osler ei ben.

"Gadewch i ni fynd," meddai Twm, gan symud at y drws. Edrychodd Rhys Parri'n bryderus arno, ond gwyddai na thalai hi ddim i geisio'i rwystro'r funud honno.

"Dere Wilf," meddai gan godi ar ei draed.

Yr oedd hi wedi nosi erbyn hyn ac nid oedd cymaint o

dramwy yn strydoedd Henffordd. Ond yr oedd y tafarnau'n llawn o hyd a deuai sŵn canu a chwerthin ohonynt bob un.

Ond ymhen tipyn arweiniodd Wilf hwy i stryd dawel, gul.

"Yn y stryd yma mae tŷ'r Iddew," meddai.

"Arwain ni ato," meddai Twm rhwng ei ddannedd, "mi dynna' i'r tŷ lawr garreg oddi ar garreg os bydd rhaid i fi !"

Fe deimlai'r Porthmon fel dweud wrtho nad oedd dim sicrwydd o gwbwl fod y perlau ym meddiant yr Iddew, ond penderfynodd gnoi ei dafod.

"Dyma fe !" meddai'r Osler, a safodd y tri o flaen tŷ tywyll, tal. Yr oedd y stryd yn wag, ac ni ddeuai unrhyw sŵn o un-man.

Aeth Twm yn syth at y drws a'i guro'n galed â'i ddwrn. Clywsant eco'r ergydion yn mynd trwy'r hen dŷ.

Safasant wedyn yn clustfeinio am unrhyw sŵn symud o'r tu mewn. Ond roedd y distawrwydd fel y bedd.

Yna bu'r Osler bach bron â neidio allan o'i groen, pan rodd-odd Twm gic anferth i'r drws. Roedd sŵn y gic yn ddigon i ddeffro'r meirw, fe ellid meddwl, ond ni chafodd ddim mwy o effaith na'r curo funud yn gynt. Nid oedd sôn am neb yn dod i agor y drws.

"Rwy'n mynd i gicio'r drws lawr !" meddai Twm. Teimlai'r Porthmon yn anesmwyth iawn erbyn hyn.

"Y . . . gwell i ni . . . efalle fod well i ni fynd nôl i'r cefen . . . falle fod 'na ddrws arall . . ."

Er syndod iddo derbyniodd Twm yr awgrym.

Cerddodd y tri heibio i dalcen y tŷ i'r cefn. Twm oedd yn arwain a chafodd syndod mawr i ddarganfod nid yn unig fod yno ddrws, ond ei fod led y pen ar agor.

Aeth ar ei union i mewn drwy'r drws. Fe'i cafodd ei hunan mewn ystafell hollol dywyll, ond bod magïen o dân yn llosgi yn y grât gyferbyn a'r drws.

Clustfeiniodd y tri unwaith eto, ond ni allent glywed unrhyw sŵn ar wahan i sŵn cloc yn cerdded rywle yn y tŷ. Daeth aroglau llwydni, bryntni a hen fwyd i'w ffroenau trwy'r tywyllwch.

Estynnodd Twm ei law a chyffyrddodd â bwrdd â phapurau arno. Cydiodd mewn darn o bapur ac aeth ag ef yn ofalus at y tân. Bu rhaid iddo benlinio a chwythu tipyn cyn ennyn fflam

yn y papur. Cododd ar ei draed wedyn a throi i edrych o'i
gwmpas wrth olau'r papur. Bwrdd a dwy stôl ac un gadair
freichiau a'i lledr yn dyllog. Hen seld a gwe pry copyn drosti i
gyd. Ond ar y bwrdd ynghanol annibendod o bapurau yr oedd
darn tew o gannwyll. Cyn i'r papur losgi ei fysedd llwyddodd
Twm i gynnau'r darn cannwyll, ac yn awr yr oedd ganddynt
olau mwy sefydlog.

Ond nid oedd sôn am yr Iddew nac am un enaid byw arall.

"Dwy' i ddim yn 'i hoffi hi, Twm," meddai'r Porthmon,
"gwell i ni ddod nôl yn y bore . . . r'yn ni wedi torri mewn . . ."

Ond yr oedd Twm wedi cydio yn y gannwyll oddi ar y bwrdd
a cherdded at ddrws arall ymhen pella'r stafell. Cododd y
glicied a cherddodd drwyddo, ac aeth y ddau arall yn ofnus ar
ei ôl.

Gwelsant eu bod yn awr yn y siop, os gellid galw siop ar y
pentyrrau o hen ddillad, llestri a dodrefn o flaen eu llygaid.

"Edrychwch !" meddai Wilf mewn dychryn, gan bwyntio at
hen gwpwrdd derw yn y gornel.

O ben y cwpwrdd edrychai dau lygad creulon, llonydd i
lawr arnynt.

"Yr arswyd y byd !" meddai'r Porthmon.

Yna cododd Twm y gannwyll yn uwch a gwelsant mai
llygaid gwydr hen dylluan wedi 'i stwffio oedd yn edrych
arnynt.

"Wel . . . !" Fe geisiodd yr Osler bach chwerthin, ond fe
dagwyd y chwerthin yng nghorn ei wddf, oherwydd y funud
honno trawodd ei droed yn erbyn rhywbeth meddal ar y llawr.
Plygodd Twm i weld beth oedd yno, ac yng ngolau'r gannwyll
gwelodd hen ŵr barfog yn gorwedd ar lawr bawlyd y siop.

Yr oedd ei wyneb yn rhychiog a'i lygaid led y pen ar agor.
Ond yr oeddynt mor ddall â llygaid y dylluan ar ben y
cwpwrdd, oherwydd yr oedd yr hen ŵr mor farw â hoel.

Yn ei fynwes yr oedd cyllell â dim ond ei charn yn y golwg.

"Wilf," sibrydodd Twm, "hwn yw'r Iddew ?"

"Ie . . . ie . . ."

"Dduw Mowr !" meddai'r Porthmon dan ei anadl, "mae e
wedi 'i lofruddio ! Gadewch i ni fynd o'r lle ofnadw' 'ma !"

Ciliodd yr Osler a'r Porthmon yn ddistaw yn ôl am y drws,

ond safodd Twm yn hir yn edrych i lawr ar yr wyneb llwyd,
llonydd.

"Pe bai hwn yn fyw," meddyliodd, "mae'n debyg y gallai
ddweud ym mha le y mae'r rhaff berlau'r funud 'ma."

Cododd ar ei draed a dal y gannwyll uwch ei ben er mwyn
edrych o gwmpas y siop ryfedd honno. Ond gwyddai na
thalai iddo oedi rhagor, felly aeth ar ôl y lleill.

*   *   *   *

Erbyn cyrraedd y "Three Fishermen" yr oedd y tri wedi
cytuno peidio â dweud yr un gair wrth neb am yr hyn a
welsant.

"Rhaid i ni beidio sôn wrth neb ein bod ni wedi bod yn agos
i'r lle," meddai Rhys Parri, "neu fe fyddwn yn cael ein
drwgdybio. Yr arswyd y byd ! Pe bai rhywun wedi'n gweld ni
heno, fe fyddai'n anodd i ni brofi nad ni a'i lladdodd e ! Ddaw
neb o hyd iddo nawr cyn y bore, ac erbyn hynny fe fyddwn ni
ar ein taith."

Pe byddai Rhys Parri wedi gweld y cysgod du a oedd wedi
eu dilyn o hirbell drwy'r tywyllwch hyd at ddrws y dafarn,
mae'n debyg y byddai'n teimlo'n llai esmwyth ei feddwl.

"Mi fyddwch *chi* ar eich taith, Rhys Parri, ond beth rydw'
i'n mynd i 'neud ?" Erbyn hyn yr oedd Twm wedi dechrau
credu am y tro cyntaf nad oedd e byth yn mynd i ddod o
hyd i raff berlau'r Ledi Eluned.

Pan gerddodd y tri i mewn i'r "Three Fishermen", safai Syr
Philip Townsend ar lawr y gegin gefn yn disgwyl amdanynt.
O gegin flaen y dafarn deuai sŵn siarad a chwerthin uchel.
Edrychodd y tri yn syn ar yr hen ŵr bonheddig, ac edrychodd
yntau'n graff arnynt hwythau am ennyd, heb ddweud gair.
Rhaid ei fod wedi gweld golwg ryfedd arnynt oherwydd ei
gwestiwn cyntaf oedd, "Does dim byd o le oes e ?"

"Y—na, syr, mae popeth yn iawn," meddai'r Porthmon.
Y funud honno aeth y siarad uchel yn y gegin flaen yn weiddi.

"Gadewch i ni eistedd," meddai Syr Philip yn uchel, "wn i
ddim a allwn ni glywed ein gilydd fan hyn. Mae'n debyg fod
Jim Corby yn aros yn y dafarn 'ma heno—Jim Corby'r
paffiwr. Dyna'r rheswm am yr holl sŵn. Mae e'n ffefryn
mawr yn y cylchoedd 'ma, ac mae'n debyg 'i fod e'n ymladd â
Mat Wells o Lundain bore fory."

Wedi i'r tri eistedd o gwmpas y tân gofynnodd Twm,
"Oeddech chi am 'y ngweld i, syr ?"

"Oeddwn." Yna bu'n ddistaw am ennyd gan edrych yn
feddylgar ar Twm. "Mae 'na ras fawr yn Llundain ddydd
Sadwrn nesa', a chan i ti ddweud dy fod ar dy ffordd i Lundain,
fe garwn i wybod a yw hi'n bosib y bydd y gaseg ddu'n rhedeg
yn y ras. Mi fydda' i'n mynd am Lundain yfory, ac fe garwn i
weld y gaseg yn rhedeg unwaith 'to . . ."

Torrodd Twm ar ei draws.

"Fe fydd y gaseg yn rhedeg mewn unrhyw ras lle mae 'na
siawns iddi ennill tipyn o arian, syr," meddai, a'i lais yn gras.

Cododd y gŵr bonheddig ei aeliau.

"Ond roeddwn i'n meddwl i ti ddweud . . ."

"Mae'r amgylchiadau wedi newid yn llwyr erbyn hyn, Syr
Philip."

Edrychodd y gŵr bonheddig braidd yn syn. Aeth Twm yn 'i
flaen. "Felly os gwyddoch chi am unrhyw ras sy'n cael 'i
rhedeg yn ystod y dyddiau nesaf yma, fe garwn i gael gwybod
amdani."

Edrychodd Twm ar Rhys Parri a'r Osler. Yn sydyn yr oedd
arno awydd dweud hanes perlau'r Ledi Eluned wrth yr hen
wr bonheddig yma a oedd wedi bod yn gyfaill i gyfaill gorau
Twm—sef yr Hen Sgweier—Syr Harri Prys y Dolau. Yna
dechreuodd adrodd hanes y ddyled i Syr John Sbens ac fel yr
oedd ef wedi derbyn y cyfrifoldeb o ddwyn y perlau i Lundain
i'w gwerthu. Dywedodd am yr ymosodiad arno gan ddau ddyn
yn y stryd gefn—ac yn y diwedd, er ei fod ef a'r Porthmon a'r
Osler bach wedi cytuno i beidio â dweud yr un gair—fe
adroddodd yr holl hanes am eu hymweliad â thŷ'r Iddew ac am
yr hyn a welsant yno. Rywfodd neu'i gilydd yr oedd ganddo
ffydd yn yr hen wr bonheddig cefnsyth yma, er nad oedd wedi
siarad ond ychydig eiriau ag ef yn ei fywyd.

Ar ôl iddo orffen edrychodd Syr Philip yn hir i lygad y tân.
"Wel," meddai o'r diwedd, "rwyn meddwl mai'r peth doethaf
fydd gadael y dref yma yn y bore bach yfory. Rwy'n ofni y
bydd hi'n rhy beryglus i ti chwilio 'mhellach ar hyn o bryd am
y perlau."

Cynhesodd calon Twm at yr hen wr. Nid oedd wedi amau yr
un gair a ddywedodd. Nid oedd ef o leiaf wedi meddwl am un

eiliad y gallai fod ganddo ef unrhyw beth i'w wneud â llofrudd-
iaeth yr Iddew.

"Wyt ti'n gweld," meddai Syr Philip, "pe baem ni'n dilyn
ymhellach ar drywydd y perlau ar hyn o bryd, fe fyddai
rhaid i ni fynd yn ôl i wneud ymholiadau yn siop yr Iddew, a
phe bait ti'n gwneud hynny fe fyddai pobol yn dechrau amau
ar unwaith. Felly rwyn mynd i awgrymu dy fod ti a minnau a
Wilf yn cychwyn am Lundain bore fory. Mae'n debyg y
byddwch chi, Rhys Parri, yn dod ar ein holau ni gyda'r
gwartheg ? Nawr, coelia di fi, Tom, does dim eisiau i ti ofidio
gormod am y perlau, waeth, os rhoi di gyfle iddi, fydd y gaseg
ddim yn hir yn ennill digon o bres i ti dalu'r ddyled yna i Syr
John Sbens. Nawr, beth amdani ? Wyt ti'n cytuno dy fod ti a
minnau a Wilf yn cychwyn am Lundain yn y bore ?"

"Wilf ?" meddai Twm, "pam Wilf ? Mae ganddo fe waith
yn y ' Black Horse ' !"

"Fe fydd eisiau Wilf i farchogaeth y gaseg."

"Ond fe alla' i farchogaeth y gaseg, syr."

Gwenodd yr hen ŵr bonheddig.

"Rwyn ofni dy fod ti'n rhy drwm o gorff i farchogaeth y
gaseg mewn ras fawr. Beth wyt ti'n ddweud, Wilf ?"

"Fyddai dim yn wellgen i, syr, na chael cyfle i farchogaeth y
gaseg unwaith 'to."

"Dyna'r mater yna wedi'i setlo felly". Gwenodd yr hen ŵr
bonheddig ar Wilf. "Rwyt ti'n fachgen rhy dda i wastraffu dy
amser fel Osler yn y "Black Horse." Fe ddwedais i hynny wrth
Iarll Bonham lawer gwaith, cofia. Ond faddeuodd e byth i ti
am golli'r ras honno . . ."

Y funud honno boddwyd ei eiriau gan weiddi byddarol o'r
gegin flaen.

Ysgydwodd Syr Philip ei ben. "Mae'r paffiwr—Corby yn cael
hwyl arni yn y gegin !" gwaeddodd. "Mae'n bryd i hen ŵr fel
fi noswylio, fe ga' i'ch gweld chi i gyd bore fory."

UN O FECHGYN Y "FFANSI"

DIHUNODD Twm gyda'r dydd trannoeth. Drwy'r nos bu'n breuddwydio am lygaid—llygaid gwydr yr hen dylluan ar ben y cwpwrdd a llygaid dall, llonydd yr hen Iddew ar lawr y siop. Yn awr yr oedd ganddo ben tost.

Tynnodd ei drowsus amdano ac aeth at y ffenestr. Gwelodd glôs llydan y dafarn o'i flaen ac yn y llwyd-olau gallai weld pwmp dŵr ar ganol y clôs â thwba mawr, pren yn ei ymyl. Yn y cae bychan y tu draw i'r clôs gallai weld tri dyn yn neidio a rhedeg o gwmpas. Ni allai ddeall y peth.

Cydiodd mewn tywel ac aeth i lawr y grisiau'n hanner noeth fel yr oedd. Nid oedd enaid byw i'w weld o gwmpas y dafarn, a bu rhaid iddo ddad-folltio'r drws ei hunan. Gyrrodd awel farugog mis Hydref ias dros ei groen pan ddaeth allan i'r awyr agored, ond mentrodd ar draws y clôs serch hynny.

Yr oedd y twba'n llawn o ddŵr glân, gloyw. Gwnaeth Twm gwpan o'i ddwy law a chododd y dŵr dros ei wyneb. Yna cododd ragor a'i daflu dros ei wallt a'i gorff. Yr oedd y dŵr oer fel chwip ar ei groen. Gwnaeth hyn drachefn a thrachefn.

Yn sydyn teimlodd rywun yn cydio yn ei goesau o'r tu ôl, a'r ciliad nesaf yr oedd wedi disgyn ar ei ben i'r twba !

Pan lwyddodd i godi o'r dŵr clywodd sŵn chwerthin uchel tu ôl iddo. Trodd a gwelodd dri dyn yn sefyll yn ei ymyl. Yr oedd un ohonynt yn dew â chot o frethyn glas trwchus amdano. Dyn trwyngoch garw yr olwg oedd y llall. Ond y trydydd a hawliai fwyaf o sylw. Gŵr ifanc, cryf ydoedd a'i wyneb yn greithiau i gyd, a gwyddai Twm ar unwaith beth a wnâi ef am ei fywoliaeth. Gwyddai oddi wrth y trwyn cam a'r creithiau mai paffiwr proffesiynol oedd—un o fechgyn y ' Ffansi'. Yn awr chwarddai'r gŵr ifanc nes bod ei lygaid bach o'r golwg, a gwnaeth hyn i Twm golli ei dymer yn llwyr. Aeth gam bygythiol yn nes at y paffiwr. Gwthiodd hwnnw ei ên ymlaen ato, fel petai'n gofyn i Twm roi dyrnod iddo.

"Wyt ti am roi cynnig arni ?" gofynnodd gan chwerthin.

"Na, na, gad hi nawr, Jim !" gwaeddodd y dyn trwyngoch gan symud ymlaen. Ond gwthiodd y paffiwr ef ymaith.

"Gad iddo roi cynnig arni," meddai.

Cyn bod y geiriau allan o'i enau'n iawn trawodd Twm ef â'i ddwrn yn deg ar flaen ei ên. Yr oedd yn ergyd caled, ond ni wnaeth y paffiwr ddim ond ysgwyd ei ben ddwywaith neu dair a dechrau chwerthin eto. Yr eiliad nesaf yr oedd ei ddwrn chwith wedi taro Twm yn ei stumog, cyn i hwnnw gael amser i'w amddiffyn ei hunan o gwbwl. Yr oedd hi'n ergyd mor sydyn ac mor galed nes y cafodd Twm ei hunan yn ôl yn y twba unwaith eto, a'r tro hwn nid oedd ond ei ben a'i goesau yn y golwg. Edrychai mor ddigri yn y fan honno nes gwneud i'r paffiwr ifanc chwerthin yn ddi-lywodraeth gan daro'i ddwrn ar ei ben-glin yn awr ac yn y man.

Yr oedd gwg beryglus ar wyneb Twm pan lwyddodd i godi o'r twba dŵr oer. Am ennyd safodd yn ymyl y twba tra rhedai'r dŵr i lawr dros ei goesau. Yna rhoddodd naid sydyn, a chyn i'r paffiwr gael amser i godi ei ddwylo i'w amddiffyn ei hun roedd wedi ei daro unwaith eto ar flaen ei ên ; ond y tro hwn yr oedd holl nerth Twm y tu ôl i'r ergyd. Teimlodd boen yn saethu trwy ei fraich dde a meddyliodd yn siŵr ei fod wedi ei thorri. Yr oedd Twm wedi bod mewn llawer ymladdfa o'r blaen, ond gwyddai nad oedd wedi taro neb â'r fath nerth erioed. Nid oedd yn syndod iddo felly pan welodd y paffiwr yn cwympo i'r llawr ac yn gorwedd yno'n berffaith lonydd. Nid hyd y funud honno y teimlodd Twm y boen yn ei stumog lle'r oedd y paffiwr wedi ei daro. Plygodd ei ben rhwng ei bengliniau a phan unionodd unwaith eto gwelodd y ddau ddyn arall yn edrych yn syn ar y paffiwr ar y llawr, fel pe baent yn gwrthod credu eu llygaid.

"Duffy !" meddai'r dyn tew, "pam nad yw e'n codi ?"

"Y ffŵl gwirion ! Y ffŵl gwirion !" meddai'r dyn trwyngoch dan ei anadl. Yna plygodd dros y paffiwr gorweddiog. Edrychodd yn graff arno, yna safodd ar ei draed.

"Mae ar ben Mr. Maddox," meddai, "mae asgwrn 'i ên e wedi torri !"

"Asgwrn 'i ên e wedi torri !" meddai'r dyn tew, "ond . . . ond mae hynny'n amhosib !" Yna trodd i edrych ar Twm.

"Beth wyt ti wedi'i wneud ? Y . . . y . . . y ! Wyddost ti pwy yw e ?"

"Does gen i ddim syniad," meddai Twm.

"Jim Corby ! Ie, dyna pwy e ! Rwyt ti wedi clywed sôn am Jim Corby wyt ti ddim ?"

Ysgydwodd Twm ei ben. Nid oedd wedi dal sylw ar eiriau Syr Philip y noson gynt. Ond nid oedd y dyn tew yn sylwi arno.

"Ac roedd e i fod ymladd â Mat Wells am wyth o'r gloch y bore 'ma. A beth wnawn ni nawr ? E ? Beth wnawn ni nawr ?"

"Wn i ddim," meddai Twm, "fe ddylsech chi fod wedi meddwl am hynny cyn hyn."

"Ond rwy' wedi talu dau gan punt fel ernes y bydd Jim yn ymladd y bore 'ma ! Ac os na fydd e yno fe fydda i'n colli'r cyfan. Duffy, wyt ti'n siŵr na all e ddim ymladd y bore 'ma ?"

Chwarddodd y dyn trwyngoch yn chwerw.

"Fydd e ddim yn ymladd â neb am ddeufis o leia' Mr. Maddox. Yr arswyd !" meddai gan edrych yn graff ar Twm, "mae gen ti ergyd fel gordd yn y fraich dde yna." Yna gwnaeth arwydd ar y dyn tew. "Gair bach yn eich clust chi Mr. Maddox, syr, os gwelwch chi'n dda."

Aeth y ddau ychydig o'r neilltu oddi wrth Twm a dechrau dadlau ynghylch rhywbeth, ond cadwent eu lleisiau'n rhy isel iddo glywed dim. Gwelodd y dyn tew yn edrych tuag ato, ac yna'n ysgwyd ei ben.

Dechreuodd Twm deimlo'n oer yn ei drowsus gwlyb, felly cydiodd yn y tywel ac aeth yn ôl i gyfeiriad y dafarn. Wrth fynd heibio i'r paffiwr ar y llawr gwelodd ef yn dechrau dod ato'i hunan. Wrth fynd i mewn i'r dafarn sylwodd ar hen ddyn bach yn pwyso ar y wal ac yn edrych yn graff arno.

PARATOI I YMLADD

HANNER awr yn ddiweddarach eisteddai Twm wrth y bwrdd
brecwast yng nghegin y "Three Fishermen" â throwsus wedi
ei fenthyca oddi wrth y tafarnwr amdano. Yr oedd ei drowsus
ef ei hun yn mygu wrth dân y gegin y funud honno. Wrth y
bwrdd gydag ef eisteddai Syr Philip Townsend a'r Porthmon.

"Ble mae Wilf 'te ?" gofynnodd Twm.

"O gyda'r gaseg wrth gwrs !" meddai'r Porthmon dan wenu.
"Mae gydag e gymynt o olwg arni ar ôl y ras ddoe—rwyn
meddwl y care fe gysgu gyda hi bob nos !"

"Sut gwlychest ti dy drowsus ?" gofynnodd Syr Philip, gan
edrych ar y trowsus anferth o fawr a oedd am Twm.

Adroddodd Twm hanes yr hyn a ddigwyddodd, ond cyn
iddo orffen agorodd drws y gegin a daeth y dyn tew yn y got
frethyn las i mewn, â Duffy wrth ei sodlau. Daethant at y
bwrdd, ond safodd y dyn tew pan welodd Syr Philip Townsend.

"Y . . . Syr Philip," meddai, " 'doeddwn i ddim yn disgwyl
eich gweld chi."

Edrychodd Syr Philip yn wgus arno.

"Wel, beth sy'n bod, Maddox ?" gofynnodd yn sychlyd.

Edrychodd Maddox ar Duffy, yna dywedodd,

"Roeddwn i am gael gair â'r gŵr ifanc 'ma, syr. Mae e wedi
dweud wrthoch chi, mae'n debyg, beth ddigwyddodd y bore
'ma i Jim . . . Jim Corby . . . fe wyddoch, syr, mai fy nyn i yw
Jim ?"

"Fe wn i hynny'n iawn," atebodd Syr Philip yn sychlyd.
Yna agorodd ei lygaid led y pen.

"Tom !" meddai mewn syndod, "wyt ti ddim yn dweud mai
Jim Corby gafodd gosfa gennyt ti y bore 'ma ?"

"Ie'n wir, syr, gwaetha'r modd," meddai'r dyn tew.

Dechreuodd Syr Philip chwerthin dros y lle.

"Wel ! Wel ! Maddox, dyma'r stori orau glywes i ers llawer
dydd !"

"Ond 'dŷch chi ddim yn deall, syr," meddai Maddox yn ofidus.

"Ddim yn deall ? Ydw' rwyn deall yn iawn," a dechreuodd yr hen ŵr bonheddig chwerthin unwaith eto.

"Ond roedd Jim i ymladd â Mat Wells y bore 'ma, syr !" gwaeddodd Maddox.

Stopiodd Syr Philip chwerthin, ond yr oedd yn hawdd gweld ei fod ar fin torri allan eto.

"Wel ?" meddai, "all e ddim. Mae un gosfa mewn un diwrnod yn ddigon hyd yn oed i Jim Corby. Roedd hi'n hen bryd i Jim gael cosfa gan rywun . . ."

"Syr !" meddai'r dyn tew, "rwy'i wedi dod yma i ofyn i'r gŵr ifanc 'ma gymryd 'i le fe."

Cododd Syr Philip 'i aeliau.

"Pwy ? Tom ?"

"Ie syr, rwyn barod i roi hanner canpunt iddo am ymladd â Mat. Ŷch chi'n gweld, rwy' wedi gosod dau gan punt fel ernes . . ."

"Mae'n amhosib Maddox. Mae ef a minnau'n cychwyn am Lundain cyn pen hanner awr. A pheth arall 'dyw e ddim yn baffiwr. Dwyt ti ddim yn baffiwr wyt ti, Tom ?"

"Roedd 'i dad yn un o'r paffwyr gore fuodd o fewn y ' cylch ' erioed Syr Philip," meddai'r Porthmon.

Yna cododd Twm oddi wrth y bwrdd a throdd i wynebu Maddox a Duffy.

"Codwch y tâl i ganpunt, ac fe wna' i," meddai.

"Canpunt !" gwaeddodd y dyn tew a Duffy gyda'i gilydd, "dim ond canpunt oedd Jim i'w gael—*petai e'n ennill* !"

"Canpunt, neu rwyn gwrthod yn bendant."

"Ond Tom . . .", dechreuodd Syr Philip, gan edrych arno'n syn.

"Rhaid i chi beidio anghofio, syr, fod dyled gen i i' thalu yn Llundain, a dyma un ffordd i ennill tipyn o arian i' thalu hi."

"Ond Mat Wells ! Mae e'n baffiwr proffesiynol enwog !"

"Rwyn fodlon cymryd fy siawns, syr. Wel Mr. Maddox, beth amdani ?"

Edrychodd hwnnw ar Duffy.

"Wel syr," meddai'r dyn trwyngoch, "fe fyddwch chi'n colli

dau gan punt os na fydd gennych chi ddyn i sefyll Mat y
bore 'ma."

"O'r gore—canpunt !" meddai Maddox.

"I'w talu nawr os gwelwch chi'n dda," ebe Twm.

"O na ! Pa sicrwydd sy' gen i na fyddi ddim yn rhedeg i
ffwrdd â'r arian ?"

"Fe gewch chi roi'r arian yng ngofal Syr Philip Townsend.
Mae gennych chi ddigon o ffydd ynddo fe gobeithio ?"

Wedi tipyn o rwgnach rhifwyd yr arian ar y bwrdd a
chymerodd Syr Philip hwynt.

"O'r gore," meddai Duffy, gan gymryd gofal o bethau,
"rhaid i ni gychwyn ar unwaith."

"Ble mae'r ymladd i gymryd lle ?" gofynnodd Syr Philip.

"Mewn cae tu allan i'r dre, syr. Fel y gwyddoch rhaid
cadw'r peth yn ddirgel neu fe fydd y Gyfraith ar ein penne ni.
Ond fe fyddwn ni yno cyn pen hanner awr ; mae gan Mr.
Maddox gerbyd . . ."

"Mae gen innau un hefyd," meddai Syr Philip yn swta. Yna
troes at Twm ac meddai, "Tom, Tom, rwyt ti wedi gwneud
cytundeb ffôl iawn !"

PAFFIO

NID oedd barrug y bore wedi codi oddi ar y borfa pan gyraedd-
asant y cae hwnnw tua allan i dref Henffordd. Cawsai'r cae
yma ei ddewis yn ofalus. Tyfai coed trwchus rhyngddo a'r
briffordd, ac yr oedd yn llethrog hyd at ei waelod, lle'r oedd
llecyn gwastad. Y tu draw iddo llifai'r afon, felly nid oedd
perygl i'r Gyfraith ddod yn sydyn ar eu pennau o'r cyfeiriad
hwnnw.

Ar y llecyn gwastad ar waelod y cae yr oedd y ' ring '—un
raff wedi ei chlymu wrth bedwar o byst garw, ac o gylch y
' ring ' safai tyrfa fawr gymysg o foneddigion a phobl gyffredin.
Rhaid bod rhai ohonynt yn adnabod cerbyd Maddox, oher-
wydd cyn gynted ag y gwelsant ef yn dod i'r cae rhedodd nifer
o fechgyn ifainc ato gan weiddi, "Corby ! Jim Corby !"

Ond pan welsant nad oedd Jim Corby yn y cerbyd edrych-
asant ar ei gilydd mewn penbleth. Yna gwaeddodd rhywun,

"Twyll ! 'Dyw Jim ddim yn ymladd !"

Yna safodd Maddox ar ei draed yn y cerbyd a gweiddi,

"Peidiwch gofidio gyfeillion, mae hwn—Tom Welsh—wedi
curo Jim !"

Yna daeth cefnogwyr Mat Wells ymlaen a dechreuodd dadl
fawr. Nid oeddynt hwy'n fodlon i Mat ymladd â'r dieithryn
yma, a hawlient fod Maddox wedi torri'r cytundeb, felly fe
ddylai dalu dau gan punt iddynt hwy. Ond aeth Maddox a
Duffy â hwy o'r neilltu, a dyna lle buon' nhw'n dadlau am ryw
bum munud. Yn ystod yr amser yma roedd y dyrfa'n an-
esmwyth iawn, a hawdd gweld eu bod hwy, beth bynnag, am
weld brwydr o ryw fath, wedi dod mor bell. Eisteddai Twm yn
y cerbyd yn ymyl Syr Philip Townsend o hyd, a thyrfa o bobl
yn gwthio 'mlaen i gael golwg arno. Ond yr oedd rhywbeth
yn llygad yr hen Syr Philip yn eu cadw rhag dod yn rhy agos
ato.

"Mae Mat yn mynd i dy lyncu di gwas !" gwaeddodd rhyw
wag o ganol y dorf, a chwarddodd pawb. Ni chymerodd Twm

arno ei fod wedi ei glywed. Yn rhyfedd iawn nid oedd yn
meddwl am y frwydr â Mat Wells o gwbwl y funud honno.
Meddyliai am yr hen Iddew ar lawr y siop. A oedd rhywun
wedi dod o hyd iddo bellach ? Ble'r oedd perlau'r Ledi
Eluned erbyn hyn ? O leiaf yr oedd ganddo ddau gan sofren
tuag at dalu'r ddyled i John Sbens—y can gini a enillodd y
gaseg, a'r canpunt a oedd yng ngofal Syr Philip y funud honno
—sef ei dâl am wynebu Mat Wells, pwy bynnag oedd hwnnw.
Wedyn dechreuodd feddwl am yr hen ddyn bach rhyfedd a
oedd wedi edrych mor graff arno pan ddaeth allan trwy ddrws
y "Three Fishermen" y bore hwnnw.

Yna daeth Maddox a Duffy yn ôl, ac yr oedd gwên fawr ar
wynebau'r ddau.

"Wel," meddai Maddox, "dyna bopeth wedi'i setlo. Fe fydd
Duffy'n gofalu amdanat ti . . . y . . . Tom Welsh . . . rhaid i ti
faddau i mi am roi'r enw 'na arnat ti."

"Ydych chi'n barod i ddechre ?" gofynnodd Twm, gan godi
ar ei draed.

"Ydyn'," meddai Duffy, "mae rhai o'r gwŷr bonheddig yn
dechre colli amynedd. Mae Mat yn y ' ring ' yn barod."

Tynnodd Twm ei siaced a'i grys oddi amdano, ac edrychodd
y dorf gyda thipyn o ddiddordeb ar ei gorff lluniaidd.

"Lwc dda i ti Tom," meddai Syr Philip, "ond cofia byddai'n
well gen i pe baem ni'n dau ar ein ffordd i Lundain y funud
'ma."

Yna yr oedd Duffy'n arwain Twm drwy'r dorf at y 'ring'.
Am y tro cyntaf dechreuodd Twm deimlo'n nerfus. Yr oedd yr
awel yn oer ar ei groen noeth a theimlai gryndod yn mynd trwy
ei gorff i gyd. Yna cafodd ei olwg gyntaf ar Mat Wells.
Eisteddai ar stôl odro yn y cornel pellaf oddi wrtho, ac yr oedd
yr olwg arno'n ddigon i godi dychryn ar unrhyw un. Gwgai'n
ffyrnig i gyfeiriad Twm, ac yr oedd creithiau hen frwydrau'n
amlwg ar ei wyneb. Yr oedd ei ben yn foel a'i drwyn yn hollol
fflat. Sylwodd Twm fod ei freichiau mor drwchus â choesau
dyn cyffredin. Barnai ei fod tua deg-ar-hugain oed—braidd yn
hen i ddilyn y Ffansi.

Cododd Mat ar ei draed i ystwytho'i goesau a'i freichiau.
Trodd a thrawodd y post pren tu ôl iddo â'i ddwrn mawr, caled.
Ond gwyddai Twm mai triciau oedd y rhain i godi dychryn

arno ef. Sylwodd ar rywbeth arall mwy pwysig—yr oedd Mat
yn foliog braidd—ac o'r funud honno penderfynodd Twm mai
ergyd yn ei stumog a fyddai'n fwyaf tebyg o frifo Mat.

"Gwell i ti fynd drosodd i ysgwyd llaw ag e," sibrydodd
Duffy yn ei ymyl.

"I beth ?" gofynnodd Twm.

"Wel, mae'n arferiad ac mae'r gwŷr bonheddig yn disgwyl
hynny."

"O, o'r gore." Cododd Twm oddi ar ei stôl deirtroed a
cherddodd ar draws y 'ring'. Estynnodd ei law dde i Mat ond
safodd hwnnw â'i ddwy law tu ôl i'w gefn, gan edrych yn
giaidd arno. Yna poerodd ar y borfa wrth draed Twm.
Gwnaeth hyn i'r dorf chwerthin yn orfoleddus. Teimlodd
Twm ei dymer yn dechrau cael y gorau arno, ond cofiodd fod
hwn hefyd yn un o'r triciau. Roedd Mat yn gwybod fod
paffiwr wedi colli ei dymer yn hawdd ei drechu.

Aeth Twm yn ôl i'w gornel ei hun heb ddweud dim. Yna
camodd dandi, wedi ei wisgo yn y ffasiwn ddiweddaraf, i
mewn i'r cylch. Eglurodd y rheolau—byddai'r ymladd yn
mynd ymlaen nes byddai'r naill neu'r llall wedi cael ei daro i
lawr. Wedyn byddai munud o hoe, ac os methai un ohonynt
godi ar ben y funud yna byddai'r llall wedi trechu. Nid oedd
hawl defnyddio'r pen na'r traed, eithr y dyrnau yn unig—"a
bydded i'r gŵr gorau ennill". Yna tynnodd wats o'i boced a
gollyngodd gadach gwyn o'i law fel arwydd i'r ymladd
ddechrau.

Chwipiodd Duffy'r stôl deirtroed ymaith a chiliodd o dan y
rhaff. Daeth Mat o'i gornel yn araf. Yr oedd newydd glywed
yn ei gornel mai brwydr ffug oedd hon i fod—"put-up job" ys
dywedodd un o'i gefnogwyr, ac nad oedd y bachgen yma a'i
wynebai wedi bod yn y ' ring ' erioed o'r blaen. Yr oeddynt
wedi dweud wrtho hefyd fod Maddox—yn dawel bach, yn
ceisio betio arno ef—Mat. Y gorchymyn a gawsai cyn gadael ei
gornel oedd i adael i'r frwydr fynd ymlaen am dipyn er mwyn
diddori'r gwŷr bonheddig, yna i roi un ergyd i'r gŵr ifanc i
ddwyn y mater i ben. Ond yr oedd Mat yn hen ymladdwr, ac
fe wyddai ef yn anad neb am driciau gwŷr y Ffansi. Cofiai iddo
golli un frwydr o'r blaen ar ôl cael yr un gorchymyn ! Ond
wrth edrych ar Twm yn awr tueddai i gredu'r hyn a glywsai.

Nid oedd craith ar hwn yn un man. Ond wedyn, on'd oedd e wedi torri gên Jim Corby ? Ergyd lwcus pan nad oedd Jim yn barod ? Efallai. Wel, roedd e'n barod i chwarae â hwn am dipyn er mwyn gwneud tipyn o sioe i'r gwŷr bonheddig. Dyna'r meddyliau oedd yn mynd trwy ben moel Mat Wells wrth droi'n wyliadwrus o gwmpas y ' ring.'

Anelodd ddyrnod neu ddwy at ben Twm i weld sut glem oedd ganddo. Llwyddodd hwnnw i'w hosgoi'n ddigon hawdd. Yna symudodd Mat ymlaen a chiliodd Twm. Aeth Mat ar ei ôl ac yn sydyn fe'i cafodd Twm ei hun yn y gornel heb le i ddianc. Gwibiai dyrnau Mat ato o bob cyfeiriad a sylweddolodd Twm nad yr un peth oedd ymladd â hwn ag ymladd â bechgyn y ffeiriau yn Nhregaron.

Bloeddiai'r dorf o gwmpas y ' ring ' yn awr ond ni chlywai Twm unrhyw sŵn. Llwyddodd i daro un ergyd ar drwyn fflat y paffiwr, ond yr eiliad nesaf trawodd Mat ef yn ei frest â'r fath nerth nes ei hyrddio'n ôl yn erbyn y post a ddaliai'r rhaff. Yna bu rhaid iddo blygu'n sydyn i osgoi dyrnod arall. Ond tra yn ei blyg fan honno gwelodd nad oedd Mat yn amddiffyn ei stumog, ac fel fflach trawodd Twm ef ddwywaith yn galed yn y rhan meddal hwnnw o'i gorff. Clywodd Twm ef yn sugno'i anadl i mewn, a gwyddai ei fod wedi ei frifo. Yna, er syndod iddo, yr oedd Mat yn eistedd ar y borfa â'i geg fawr ar agor. Am eiliad yr oedd y dorf yn ddistaw fel pe bai'n gwrthod credu fod Mat wedi ei lorio. Yna dechreuasant weiddi eto. Ai tric oedd hwn hefyd ? A oedd Mat am hoe i gael ei wynt ato ?

Aeth Twm yn ôl i'w gornel ac eistedd ar lin Duffy. Yr oedd golwg ofidus ar wyneb hwnnw. Beth oedd yn bod arno ?

"Ydw i'n gwneud yn go lew ?" gofynnodd Twm.

"Wyt, ond cofia, does neb yn disgw'l i ti guro Mat."

"Wel, rwyn mynd i geisio'i guro fe beth bynnag."

"Paid â siarad mor ffôl ! Gad iddo roi un ergyd galed i ti, ac yna fe elli di orwedd lawr, a dyna'r cyfan drosodd."

Edrychodd Twm yn syn arno, ond cyn iddo gael amser i ddweud dim galwodd y dandi ei bod yn bryd ail-gychwyn.

Penderfynodd Twm y tro hwn mai cadw'n glos at Mat fyddai orau iddo. Wrth wneud hynny gallai osgoi holl nerth ei ergydion, ac ar yr un pryd roi cyfle iddo ef ei hun ei daro yn ei gorff.

Clymodd y ddau ar ganol y 'ring', a llwyddodd Twm i daro un neu ddau ergyd ysgafn ar fogail Mat. Nid oedd hyn wrth fodd y paffiwr o gwbwl, a cheisiodd ei ryddhau ei hun trwy gilio'n ôl. Ond aeth Twm gydag ef. Yn awr yr oedd cefn Mat ar y rhaff ac ni allai gilio 'mhellach. Yr oedd dwrn chwith Twm yn rhydd a thrawodd ef yn yr union fan lle trawodd ef o'r blaen. Clywodd y paffiwr yn rhochian. Yr oedd pen Twm ar ysgwydd Mat a throsti gallai weld wynebau'r dorf yn agos ato. Ac yno, yn union o'i flaen safai'r dyn a oedd wedi ymosod arno yn y stryd gefn yn Henffordd ! Quinn !

Am eiliad edrychodd y ddau i lygaid ei gilydd a gwyddai'r ddau fod y naill wedi nabod y llall. Yna gwthiodd y lleidr drwy'r dorf a diflannu. Yr eiliad nesaf yr oedd dwrn mawr Mat wedi disgyn ar flaen gên Twm.

Gorweddai yn ei hyd ar y glaswellt heb glywed dim o sŵn y dyrfa'n gweiddi. Daliai'r dandi ei wats yn ei law yn cyfri'r eiliadau. Ond ar ben y trigain eiliad nid oedd Twm wedi symud gewyn. Cydiodd y dandi yn llaw Mat a'i dal uwch ei ben fel arwydd mai ef oedd wedi ennill. Yna dechreuodd y dorf chwalu'n gyflym. Cyn bo hir yr oedd pawb wedi mynd ymaith, ond y Porthmon a Syr Philip, a hwy a gododd Twm i gerbyd Syr Philip a mynd ag e nôl i gyfeiriad y "Three Fisher-men." Nid oedd Maddox a Duffy wedi trafferthu aros i weld ai byw neu farw oedd.

YN NWYLO'R GYFRAITH

AGORODD Twm ei lygaid a gweld toeon tai a thipyn o awyr las uwch ei ben. Ble'r oedd e ? Yna sylweddolodd ei fod mewn cerbyd yn teithio'n gyflym i rywle. Yn awr gallai glywed sŵn olwynion a charnau ceffylau ar ffordd galed. Yna clywodd lais yn dweud,

"Wn i ddim beth ddigwyddodd, ond roedd e' fel tai e'n edrych i gyfeiriad arall pan gafodd e ergyd."

"Doeddwn i ddim yn fodlon i Tom ymladd yn y lle cynta'. Doedd ganddo fe ddim gobaith yn erbyn Mat Wells."

"Wn i ddim syr, roedd 'i dad cystal â'r gore ohonyn' nhw."

Gwenodd Twm. Rhys Parri a'r hen Syr Philip ! Teimlai'n ddiog rywfodd, ac nid oedd awydd symud arno. Ond cofiodd yn awr beth oedd wedi digwydd iddo. Pam nad oedd e'n edrych pan drawodd Mat Wells ef ? Fel fflach daeth cof am yr wyneb llwyd ynghanol y dyrfa yn ôl iddo. Cododd yn sydyn ar ei eistedd. Yr oedd Rhys Parri'n ei wynebu a Syr Philip yn ei ymyl.

"Fe'i gweles i e' ynghanol y dorf !" meddai'n wyllt.

Edrychodd Syr Philip a'r Porthmon yn syn arno, ac yna ar ei gilydd, a gwyddai Twm eu bod yn meddwl nad oedd eto wedi dod ato'i hunan yn iawn.

"Fe ddwedes i ddigon, Tom, y byddai'n well i ni gychwyn am Lundain y bore 'ma peth cynta'."

"Ond syr," meddai Twm, " 'dwy'i ddim yn siŵr y galla' i fynd i Lundain nawr. Ŷch chi'n ddim yn deall ? Rwy'i wedi gweld un o'r dynion ymosododd arna' i." Edrychodd yr hen ŵr mewn penbleth.

"Y lleidr a ddygodd y rhaff berlau, Syr Philip", eglurodd y Porthmon. "Wyt ti wedi'i weld e ddwedest ti Twm ?"

"Ydw. Edrych i wyneb hwnnw'r own i pan ddylwn i fod yn gwylio Mat Wells."

"O ?" meddai'r Porthmon a Syr Philip gyda'i gilydd.

Yna stopiodd y cerbyd o flaen drws y "Three Fishermen" a

disgynnodd y tri. Wrth fynd i mewn drwy'r drws gwelodd Twm
yr hen ddyn bach rhyfedd a welsai'r bore hwnnw. Pwysai yn
erbyn talcen y wal gan edrych yn syn ar Twm, nes gwneud i
hwnnw deimlo'n anesmwyth. Pwy oedd e ? A pham roedd
e'n edrych mor rhyfedd arno ef ?

Wedi clywed sŵn y cerbyd daeth Wilf yr Osler o rywle, ac
edrychai hwnnw'n syn ar Twm hefyd, pan gerddodd i mewn i'r
gegin. Hawdd gweld ei fod yn synnu fod Twm yn fyw ac yn
iach ar ôl bod yn y cylch gyda Mat Wells. Ond wedi craffu
ar wyneb yr Osler teimlodd Twm fod rhywbeth arall yn ei flino
hefyd.

"Be' sy' Wilf ? Does dim byd o le oes e ?"

Yna daeth y dyn bach yn nes ato, ac meddai mewn llais isel.

"Mae'r cwnstabliaid o gwmpas y lle 'ma."

"Beth !"

"Ydyn', pedwar ohonyn' nhw o leiaf. Rown i yn y stabal
gyda'r gaseg pan ddigwyddes i edrych allan a'u gweld nhw'n
diflannu heibio i dalcen y dafarn."

"Dyna setlo'r mater," meddai Syr Philip. "Rhaid i ni
gychwyn ar unwaith."

"Cychwyn i ble, syr ?" gofynnodd llais o'r tu ôl iddo.
Edrychodd y pedwar i gyfeiriad y drws. Yno safai dyn tal,
tenau â het gorun uchel ar ei ben, a wnâi iddo edrych yn
dalach fyth. Yn ei law yr oedd ffon fer, drwchus, a thu ôl iddo
yn y drws agored safai tri o gwnstabliaid tre Henffordd.
Daeth y dyn tal i mewn i'r ystafell yn hamddenol gan droi'r
ffon fer ar ei arddwrn.

"Wel, wel, roeddech chi'n meddwl mynd i rywle oeddech
chi ? Wyddoch chi pwy ydw' i ?"

Gwyddai tri ohonynt ar unwaith mai un o Redwyr Bow Street,
Llundain oedd hwn, ond nid oedd Twm wedi gweld un o'r
dynion enwog hynny erioed o'r blaen. Clywsai ddigon o sôn
amdanynt wrth gwrs. Rhain oedd y plismyn newydd o
Lundain a oedd wedi tyngu llw i ddal lladron penffordd a'u
dwyn i'r llys barn. Dywedid amdanynt nad oeddynt byth yn
gorffwys pan oeddynt ar drywydd lleidr, nes oedd hwnnw'n
ddiogel yn y carchar.

"Oes a fynnoch chi rywbeth â ni, syr ?" gofynnodd Syr
Philip, gan sefyll yn syth a di-ofn o'i flaen.

Nid atebodd y Rhedwr tal. Daliai i droi'r ffon fer am ei
arddwrn. Yna trodd at y tri chwnstabl yn y drws. "Dewch â
gwas y diweddar Amos Cohen i mewn yma," meddai.

Gwelwodd yr Osler ac agorodd y Porthmon ei lygaid led y
pen pan glywodd yr enw. Yr oedd yr hyn a ofnent wedi
digwydd.

Taflodd y Porthmon lygad ar Twm. Safai ar ganol y llawr yn
gwylio'r Rhedwr a'r cwnstabliaid. Tynnai ei law yn dyner dros
ei ên lle'r oedd dwrn Mat Wells wedi ei daro, ac edrychai'n
ddi-fater.

Daeth un o'r cwnstabliaid yn ôl â'r dyn bach rhyfedd a welsai
Twm yn ei wylio ddwywaith y bore hwnnw. A dyma was
Amos Cohen ? Gwelodd fod y creadur yn crynu fel deilen, a
hawdd gweld ei fod mewn dychryn mawr.

"Yn awr, gyfeillion," meddai'r Rhedwr, gan daro'r bwrdd yn
sydyn â'i ffon, "fe laddwyd un o ddinasyddion parchus
Henffordd neithiwr, gan rywun neu rywrai anhysbys. Fe'i
llofruddiwyd e yn nyfnder nos â chyllell." Rhoddodd ei law
yn ei boced. "Â'r gyllell yma !"

Bu llygaid yr Osler bach bron â neidio allan o'i ben pan
welodd yr arf dychrynllyd yma'n dod i'r golwg, a chofiodd yn
fyw iawn ymhle yr oedd wedi ei gweld o'r blaen.

"Ar ôl lladd y dinesydd parchus yma," meddai'r dyn â'r
ffon wedyn, "a dwyn ei eiddo, fe giliodd y llofrudd dan gysgod
nos, gan feddwl nad oedd neb wedi ei weld yn cyflawni ei
weithred ysgeler. Roedd e wedi credu y galle fe ddianc yn
iach, i fyw'n fras ar gyfoeth rhywun arall. Ond na—roedd dau
beth yn rhwystr i hynny fod. Yn gyntaf, roeddwn i—Toby
Stevens—at eich gwasanaeth—un o Redwyr Bow Street—yn
digwydd bod yn y dre ; wedi dod yr holl ffordd i roi Joe King
y lleidr penffordd yn ddiogel yn y carchar yma. A ! Joe
King ! Cwmnïwr difyr ; ac mae'n rhaid i mi ddweud, ffrindie,
er na ddylwn i ddim, fod gen i barch i Joe King ; o leia fwy o
barch nag sy' gen i lofruddion sy'n torri i dai hen bobol yn y
nos. Ond rwyn crwydro, ffrindie. Dweud yr oeddwn i fod dau
ddigwyddiad yn yr achos yma wedi bod yn anffodus i'r
llofrudd. Y ffaith fod un o Redwyr Bow Street yn digwydd bod
yn y dre oedd un, a'r llall—fod y llofrudd wedi ei weld !"

Gwaeddodd y gair olaf a chaeodd ei geg fawr glamp. Cydiodd

yng ngholer cot y dyn bach a'i dynnu'n drwsgl o'i flaen.

Dechreuodd Syr Philip ddweud rhywbeth, ond cododd y Rhedwr siaradus ei law.

"Yn awr, dyma i chwi was y diweddar Mr. Amos Cohen—gwas da a ffyddlon—yn gwylio eiddo'i feistr nos a dydd. Nawr, was da dwed—wyt ti wedi gweld un neu ragor o'r cyfeillion 'ma o'r blaen ?"

Edrychodd yr hen ŵr carpiog yn ofnus o un i'r llall. Yna safodd ei lygaid ar Twm.

"Wel ?" gwaeddodd Stevens. "Mae'r cyfaill yma'n drwm 'i glyw, ffrindie," eglurodd.

Agorodd y dyn bach ei geg led y pen ond ni ddywedodd air.

"Wel ?" Cydiodd Stevens yn dynnach yn ei goler. Yna cododd y creadur ei fys bawlyd a phwyntiodd at Twm.

"Ha !" meddai Stevens, a gollyngodd ei afael yn ei goler. Yna dechreuodd yr hen ŵr bach siarad yn un ffrwd.

"Roeddwn i yn y gegin gefn yn disgwyl Amos Cohen at 'i swper. Roedd e'n hir iawn yn dod, ac roedd y bwyd yn oeri. Roedd y siop yn dywyll a doedd dim sŵn . . . mae ffenest fach . . . rwyn gallu gweld mewn i'r siop, ond 'dyw Amos Cohen ddim yn fodlon i fi fynd mewn i'r siop . . . unwaith pan ddaeth e nôl a ngweld i tu ôl i'r cownter roedd e'n ddig . . ."

Stopiodd a rowliodd ei lygaid.

"Ie, ie ! Ond neithiwr ?" gwaeddodd Stevens, gan daro'r bwrdd â'i ffon. "Dwed yr hanes i gyd, was da, ond paid â chrwydro. Rwyn ddyn prysur."

"Pan oeddwn i'n gwneud swper. . ." Stopiodd y dyn bach eto, ac edrych yn euog. "Fe edrychais i drwy'r ffenest. Roedd golau yn y siop bryd hynny—ac roedd dau ddyn yn siarad â Mr. Cohen . . . welais i ddim ond 'u cefnau nhw."

Trodd y gwas carpiog i edrych ar Stevens.

"Ie ?" meddai hwnnw'n ddi-amynedd.

"Wel fe ferwodd y llaeth oedd ar y tân dros y sosban."

Bu distawrwydd am dipyn.

"O, fe ferwodd y llaeth dros y sosban do fe ?" gwaeddodd Stevens.

"Do, syr, a phan ge's i gyfle i fynd nôl i edrych wedyn, roedd y siop yn dywyll. Roeddwn i'n meddwl fod Mr. Cohen wedi mynd allan i rywle. Fe arhosais i awr siŵr o fod . . . ac roedd y

bwyd yn oeri . . . doedd Mr. Cohen ddim yn fodlon i mi gadw
gormod o dân."

"Ie, beth ddigwyddodd wedyn ?" gofynnodd Stevens.

"Wel, fe weles i olau yn y siop. Rown i'n meddwl fod Mr.
Cohen wedi dod nôl . . . ond pan edrychais i wedyn drwy'r
ffenest fach fe weles rywun dierth a channwyll yn 'i law e'n
plygu . . ."

Dechreuodd rowlio'i lygaid unwaith eto, gan edrych i
gyfeiriad Twm.

"Yn plygu ?" gofynnodd Stevens yn awchus.

"Yn . . . yn . . . plygu dros gorff Mr. Cohen ar y llawr . . . ac
roedd cyllell . . ."

"Hon !" gwaeddodd Stevens, gan ei dal o flaen ei lygaid.

Ceisiodd y truan gilio'n ôl ond daliai Stevens ef wrth ei goler.

"Welaist ti wyneb yr un oedd yn dal y gannwyll ?" gofyn-
nodd.

"Dyd-do."

"Yn glir ?"

"Do, roedd 'i wyneb e at y ffenest fach ac roedd y gannwyll
yn agos at 'i wyneb e."

"Ha ! A dim ond un dyn oedd yn y siop, heblaw'r anffodus
Cohen ?"

"Y . . . ie . . . ond . . ."

"Ie ? Ond ? Beth yw hyn, was da ?"

"Dim ond un dyn welais i, ond roeddwn i'n meddwl i mi
weled cysgod rhywun arall."

"Meddwl !" meddai Stevens, "wna meddwl ddim mo'r tro,
rhaid i dyst fod yn siŵr."

"Wel, na, dwy' i ddim yn siŵr."

"O'r gore. Wel, a wyt ti'n siŵr dy fod ti'n gweld y dyn yna
welaist ti'n plygu dros gorff Amos Cohen wrth olau'r gannwyll,
yn yr ystafell yma'r funud 'ma ?"

Edrychodd y dyn bach yn syth ar Twm, â'i geg led y pen ar
agor.

" Wel ? Wel ?" gwaeddodd Stevens.

Ond nid oedd y gwas yn gwrando arno, neu 'doedd e ddim
yn ei glywed.

"Pan aeth e' allan o'r siop wyddwn i ddim beth i'w wneud.
Roedd arna' i ofn gweiddi, ac roedd arna' i ofn aros yn y tŷ

gyda Mr. Cohen. Wel, fe fentrais i allan i'r stryd. Roedd hi'n dywyll. Ond roedd gole yn ffenest Mrs. Wilkins, ac fe'i gweles i e'n mynd heibio."

"P'un o'r rhain oedd e ?" gofynnodd Stevens yn ddi-amynedd.

"Doedd gen i ddim byd am fy nhraed. Mi fydda' i'n gweithio yn y tŷ heb sgidie bob amser ; ac fe es i ar 'i ôl e'n ddistaw bach gan gadw'n ddigon pell. Wedi cyrraedd y stryd fawr lle'r oedd mwy o olau roedd 'na dri yn cerdded yn weddol agos at 'i gilydd, ond wn i ddim a oedd y ddau arall gydag e. Wedyn fe aeth y tri mewn i'r "Three Fishermen". Fe fûm i'n cerdded o gwmpas drwy'r nos . . . allwn i byth mynd nôl i'r tŷ at . . ."

"P'un o'r rhain oedd e ?" gwaeddodd Stevens yn ffyrnig.

Cododd y gwas ei law a phwyntiodd at Twm.

Symudodd y cwnstabliaid gam yn nes a bu distawrwydd yn yr ystafell am funud. Yna gosododd Stevens ei ffon fer ar y bwrdd a cherddodd ar draws y stafell at Twm. Safai hwnnw ar ganol y llawr yn gwylio'r Rhedwr yn ofalus. Daliai'r Porthmon ei anadl.

"Dangos dy ddwylo i mi !" meddai Stevens.

Nid oedd Twm yn disgwyl hyn, ac estynnodd ei ddwy law. Yr eiliad nesaf clywodd sŵn metel yn tincial. Ond yr oedd yn rhy hwyr. Teimlodd ddau gylch haearn yn cau am ei arddyrn-au. Nid oedd hyd yn oed wedi gweld dwylo Toby Stevens yn symud.

"Cydiwch ynddo !" gwaeddodd hwnnw gan gamu'n ôl. Yna yr oedd y tri chwnstabl wedi cau amdano a chydio yn ei freichiau.

Yn awr dechreuodd pawb siarad yr un pryd. Ond yr oedd y cwnstabliaid yn symud Twm i gyfeiriad y drws. Yna, uwch-law'r sŵn siarad i gyd, clywyd sŵn llais mawr Rhys Parri'r Porthmon.

"Arhoswch !"

Safodd y cwnstabliaid ar eu ffordd allan.

"Nid Twm a'i lladdodd e !" gwaeddodd Rhys, "roedd e'n farw'n barod."

Edrychodd Stevens o un i'r llall â gwên ar ei wyneb.

"Sut y gwyddost ti hynny, gyfaill ?" gofynnodd.

"Rhys Parri !" gwaeddodd Twm, "**dim gair arall.**"

"Ond Twm, roeddwn i . . ."

"Mae'n wir," meddai Twm wrth Stevens, gan dorri ar draws Rhys Parri. "Roedd yr Iddew'n farw pan gyrhaeddais i."

"Ha !" meddai Stevens, "rwyt ti'n cyfaddef, felly, i ti fod yn y tŷ ?"

"Ydw, ond roedd yr Iddew . . ."

"A . . . a . . . a . . . a !" gwaeddodd Stevens gan godi ei ddwylo. "Dim gair arall gyfaill."

"Ond y dyn ofnadwy !" meddai Syr **Phillip.**

"Dim gair arall, syr," meddai Stevens, "fe gaiff e gyfle i amddiffyn 'i hunan yn y Frawdlys."

"Y Frawdlys ?" gofynnodd Rhys Parri'n **syn.**

" Wrth gwrs."

"R'ŷch chi'n gwneud camgymeriad ddyn," meddai Syr Philip.

Ond yr oedd Stevens wedi colli amynedd. "Ewch ag e ymaith !" gwaeddodd, a dechreuodd y cwnstabliaid wthio Twm drwy'r drws.

"Syr Philip !" gwaeddodd Twm wrth ddiflannu drwy'r drws, "gofalwch am y gaseg ac . . . am 'y musnes i—yn Llundain !"

Yna yr oedd wedi mynd a'r drws wedi cau.

Edrychodd Rhys Parri a Syr Philip ar ei gilydd.

"Ond . . ." meddai'r Porthmon, "allwn ni ddim gadel iddyn' nhw fynd ag e !"

"Maen' nhw *wedi* mynd ag e rwyn ofni, Rhys |Parri," atebodd yr hen ŵr bonheddig yn drist.

"Ond roedd Wilf a finne gydag e ! Os yw e'n gorfod mynd i garchar, fe ddylem ninne fynd hefyd !"

Edrychodd Syr Philip yn hir arno.

"Gwrandewch Rhys Parri ; rwyn meddwl y gellwch chi —a Wilf—wneud mwy o les i Twm nawr wrth gadw'ch penne allan ohoni. Ellwch chi ddim gwneud unrhyw les i Twm trwy fynd i'r carchar gydag e. Ond o'r tu allan fe allwn ni wneud rhywbeth. Fe awn ni i gael gair â'r Ynadon i ddechre. A rhaid i ni gofio geirie diwetha' Twm cyn iddyn' nhw fynd ag e. ' Gofalwch am 'y musnes i—yn Llundain '."

Tra'r oedd y siarad yma'n mynd ymlaen yng nghegin y
"Three Fishermen" yr oedd Twm yn cael ei lusgo drwy
strydoedd Henffordd gan y cwnstabliaid. Cerddai Mr. Toby
Stevens rhyw ddecllath tu ôl iddynt, a chyn iddynt gyrraedd y
carchar yr oedd mintai o blant a phobl mewn oed yn dilyn o'r
tu ôl.

"Pwy yw e ? Beth wnaeth e ?" holai lleisiau o'r dorf.

Rhaid bod Stevens wedi dweud wrthynt, oherwydd dechreu-
odd rhai ohonynt weiddi, "Llofrudd ! Llofrudd !"

Gwthiodd un ddynes dew ymlaen at Twm a gweiddi, "Cofia
roi gwybod pan fyddi di'n cael dy grogi ; charwn i ddim colli'r
sioe am y byd !"

"Meddyliwch wir, bachgen ifanc, taliaidd felna !" meddai
hen wraig fach a safai ar y palmant yn eu gwylio'n mynd
heibio.

Cynyddai'r dorf o hyd fel y nesaent at y carchar, ac yr oedd y
cwnstabliaid o leiaf yn falch pan ddaethant i ben eu taith. Dim
ond Mr. Toby Stevens oedd wedi mwynhau'r siwrnai honno
trwy strydoedd Henffordd. Cerddai'n fawreddog o'r tu ôl â'i
got ddu ar agor er mwyn i bawb weld ei wasgod goch.

Derbyniwyd Twm i'r carchar trwy ddrws bach cul mewn
drws llawer mwy. Dim ond Toby Stevens aeth i mewn gydag
ef. Yn awr safai mewn ystafell gul lle'r oedd dau o swyddogion
y carchar yn eistedd wrth stôf fyglyd.

"A! Toby," meddai un ohonynt gan godi ar ei draed,
"rwyt ti'n brysur y dyddiau 'ma ! Cofia, mae'r carchar yma'n
ddigon llawn yn barod. Lleidr pen-ffordd ?"

Chwarddodd Mr. Stevens, ac ysgydwodd ei ben.

"Na," meddai'r swyddog, dyn bras, mawr, heb ymolchi ers
diwrnodau, "gad i mi ddyfalu."

Aeth ymlaen at Twm ac edrychodd i fyw ei lygad, yna ar ei
ddillad a'i gorff.

"Hym," meddai'n feddylgar, "mi fu'swn i'n barod i fetio
mai lleidr pen-ffordd yw hwn, Toby."

"Na, rwyt ti'n cam-gymryd. Llofrudd—yr Iddew—Amos
Cohen."

"Wel ! Wel ! A'r trugareddau, Toby ?"

"Y trugareddau ?"

"Ha-ha ! Toby, paid edrych mor ddiniwed er mwyn dyn.

Y trugareddau—yr elw, gyfaill, aur yr hen Amos—gefaist ti hwnnw ?"

Ysgydwodd y Rhedwr ei ben. " 'Dwy' i ddim wedi chwilio'i berson e."

"Toby, Toby, Toby—wyt ti'n disgwyl i fi gredu peth fel yna ?"

"Ond che's i ddim cyfle . . . roedd y cwnstabliaid . . . a hen ŵr bonheddig . . ."

"A !" Fflachiai llygaid y swyddog. "Jerry !"

Cododd y dyn a oedd yn eistedd wrth y stôf. Edrychai yntau hefyd fel pe bai heb ymolchi ers wythnos. Dechreuodd fynd trwy bocedi Twm yn frysiog, â bysedd cyfarwydd.

Teimlai Twm yn ddig iawn, ond ni allai wneud dim gan fod y ddau gylch dur am ei arddyrnau o hyd. Yn awr teimlai'n ddiolchgar iddo adael y rhan fwyaf o lawer o'i arian yng ngofal Syr Philip cyn mynd i ymladd â Mat Wells y bore hwnnw.

Daeth bysedd cyflym y swyddog o hyd i dair sofren aur ym mhoced ei wasgod a gosododd hwy ar y bwrdd. Cydiodd Mr. Toby Stevens mewn un ohonynt fel fflach a'i rhoi yn ei boced. Yna ymgrymodd yn foesgar i'r swyddog tew yn ei ymyl. Gwenodd hwnnw arno, er mwyn dangos ei fod yn cydnabod ei hawl i ran o'r arian.

"Dyna'r cwbwl, Mr. Nokes," meddai'r dyn Jerry, ar ôl gorffen chwilio dillad Twm.

"Y cwbwl !" meddai'r prif swyddog gan ddod yn nes at Twm, "ble mae'r gweddill o gyfoeth yr Iddew ? Ble 'rwyt ti wedi'u cuddio nhw. E ?"

Edrychai'n fygythiol ar Twm ond ni ddywedodd hwnnw air. Y funud honno meddyliai am yr un sofren felen oedd ar ôl ganddo—y sofren y mynnodd ei fam ei gwnio y tu mewn i leinys ei got cyn iddo gychwyn o Dregaron.

"A !" meddai Mr. Nokes, "un o'r rhai distaw wyt ti iefe ? Un o'r rhai cyfrwys. Aros di 'machgen i, mae digon o amser gen i. Mi fyddi di yma gyda ni tan y Frawdlys. Felly fe fyddi di dan 'y ngofal i am chwech wythnos. Jerry, hebrwng y gŵr bonheddig i un o'n hystafelloedd gore ni, os gweli di'n dda."

"Un funud," meddai Stevens, "mae ganddo freichledau sy'n eiddo i mi." Aeth ymlaen at Twm a rhyddhaodd ei ddwylo.

Cydiodd Jerry ym mraich Twm a'i arwain at borth o farrau haearn. Agorodd hwnnw ag allwedd fawr a oedd ynghlwm wrth ei wregys a chafodd Twm ei hunan mewn coridor hir â chelloedd ar bob ochr iddo. Trwy farrau heyrn y drysau edrychai carcharorion o bob lliw a llun arno'n mynd heibio. Edrychai'r rhan fwyaf ohonynt yn fwy tebyg i fwganod brain nag i ddynion. Chwarddai rhai ohonynt yn uchel am ei ben a gwaeddodd un neu ddau ar ei ôl, ond edrychai'r lleill yn fud ac yn drist fel petaent yn cyd-ymdeimlo ag ef.

"Aros !" gwaeddodd Jerry. Safodd o flaen drws un o'r celloedd. Aeth Jerry at y drws a chlywodd Twm yr allwedd yn y clo. Yna gwthiwyd ef i mewn drwy'r drws agored a chaeodd y drws yn gyflym ar ei ôl. Nid oedd fawr o olau yn y gell, er 'i bod hi'n ddydd glân tu allan. Ond yr oedd yno ddigon o olau i Twm weld fod tri charcharor arall yn y gell, un yn pwyso ar y mur moel, un yn gorwedd ar fatres gwellt yn y gornel, a'r llall yn sefyll ar ganol y llawr.

Clywodd yr allwedd yn troi yn y clo ac yna sŵn traed Jerry yn pellhau.

Yr oedd Twm Siôn Cati yn y carchar am y tro cyntaf yn ei fywyd.

GOFID Y LEDI ELUNED

Safai'r Ledi Eluned wrth ffenestr y Plas yn edrych allan ar y glaw'n disgyn yn gyson ar y lawnt ac ar y lôn leidiog a arweiniai at y tŷ. O'r coed mawr ymhen draw'r lawnt plyciai'r gwynt ambell ddeilen grin a'i hyrddio at y ffenestr.

Yr oedd hi'n hydref yn barod, ac nid oedd y rhan fwyaf o ffermwyr Tregaron wedi cael eu gwair i'r ydlan eto, heb sôn am y cnydau eraill. Haf oer a gwlyb a gawsant, ac roedd yr hydre'n bygwth bod yn waeth fyth.

Nid oedd hyd yn oed yr hen bobol yn cofio am haf gwaeth ; a dyma hi'n Hydref a'r haidd a'r ceirch a'r barlys yn gorwedd yn y caeau yn wlyb domen.

Daeth teimlad o dristwch ac anobaith dros wraig ifanc y Plas wrth wylio'r glaw yn dal i ddod i lawr. Gwyddai fod gaeaf creulon yn aros ffermwyr bach Tregaron oni ddeuai'r haul allan cyn bo hir.

Roedd tair wythnos wedi mynd heibio er pan aeth Twm Siôn Cati i ffwrdd i Lundain ar gefn y gaseg ddu. Roedd e'n hir yn dod yn 'i ôl. Ond cofiodd wedyn iddi ddweud wrtho am beidio â brysio adre. Pam y dywedodd hi hynny wrtho ? Gwyddai yn ei chalon na fyddai dim yn well ganddi na'i weld yn dod i fyny'r lôn at y Plas y funud honno.

Edrychodd tua'r llwyn rhodedondron ym mhen draw'r lawnt, lle'r oedd y lôn yn troi a diflannu i gyfeiriad y ffordd fawr ; fel pe bai'n disgwyl gweld pen y gaseg ddu'n dod i'r golwg bob eiliad.

Meddyliodd yn awr am Twm a'r gaseg. Cofiodd yr hylabalŵ a fu pan ddihangodd Twm o Dregaron ar gefn y gaseg. Fe fu cwnstabliaid y wlad ar ei ôl nes i'r doctor a Martha, hen forwyn y Plas, brofi fod ei thad-yng-nghyfraith, Syr Harri Prys, wedi dweud ar ei wely angau mai Twm oedd i gael y gaseg. Roedd yr hen Syr Harri'n gwybod y byddai ei fab 'i hunan—Syr Anthony—yn ei gwerthu, ac y byddai'r brîd enwog, a oedd wedi bod yn stablau'r Dolau am gymaint o flynyddoedd, yn mynd i ddwylo dieithriaid. On'd oedd Twm yn meddwl y byd o'r gaseg ! (Hwyrach fod yr hen Syr Harri'n meddwl am hynny hefyd y noson honno pan oedd ar fin marw). Oedd, 'roedd Twm yn meddwl y byd o'r gaseg, mwy nag am ddyn (na dynes) yn yr holl fyd, meddyliodd y Ledi Eluned wrthi'i hunan, â hanner gwên fach yn chware o gwmpas ei gwefusau.

Nid oedd llawer o neb yn gwybod, hyd yn oed ar ôl tair blynedd, mai Twm oedd perchen cyfreithiol y gaseg. Roedd mwy nag un wedi cynnig pris da iddi hi amdani. Nid oedd wedi trafferthu dweud yr hanes wrth bawb a fynnai brynu'r gaseg. Cofiodd iddi geisio egluro'r amgylchiadau i Syr Tomos Llwyd unwaith, ond chwerthin am ei phen a'i galw'n wirion a wnaeth hwnnw.

Trodd oddi wrth y ffenestr ac eisteddodd wrth y tân. Fe deimlai'n unig iawn y funud honno. Roedd ei thad wedi dychwelyd i Giliau Aeron ond gwyddai y byddai'n dod yn ôl i Dregaron eto unrhyw ddiwrnod.

Roedd ef a Syr Tomos wedi cynllunio iddi briodi Robert, etifedd Ffynnon Bedr, ac roedd hi'n adnabod ei thad yn ddigon da i wybod y byddai'n gwneud ei orau i ddwyn y cynlluniau hyn i ben. Yr oedd eisoes wedi ceisio ymhob dull a modd i gael ganddi addo priodi Robert. Ni allai ef ddeall o gwbwl pam yr oedd hi'n gwrthod. "Am nad wy' i ddim yn 'i garu fe, Nhad bach," meddai yn awr yn uchel wrth yr ystafell wag, a dychmygodd glywed ei thad yn chwerthin neu'n rhochian yng nghorn ei wddf wrth ei chlywed yn cynnig esgus mor wan dros beidio â derbyn yr anrhydedd o gael Etifedd Ffynnon Bedr yn ŵr iddi.

Fe allai fod wedi dweud rhagor. Fe allai fod wedi ychwanegu ei bod hi'n caru un arall.

Cododd ac aeth unwaith eto at y ffenestr. Yr oedd hi'n dechrau tywyllu a daliai'r glaw i ddod i lawr. Yr oedd pyllau o ddŵr bawlyd ar y lôn erbyn hyn, a rhedai ffrwd frown heibio i'r ffenestr. A oedd e' allan yn y glaw mawr yma ? A oedd e'n prysuro'n ôl tua Thregaron y funud honno ?

Yna meddyliodd ei bod yn clywed sŵn pedolau ! Rhaid mai ei chlustiau oedd yn ei thwyllo neu ei dychymyg yn chware triciau â hi. Clustfeiniodd wedyn. Oedd, roedd hi'n clywed sŵn pedolau, ac yr oeddynt yn nesáu at y Plas !

Agorodd y ffenestr a chwythodd y gwynt y glaw i'w hwyneb. Roedd swˆn y ceffyl yn glir yn awr. Edrychodd i lawr tua'r tro yn y lôn. Gwyddai y byddai rhywun ar gefn ceffyl yn dod i'r golwg fan honno unrhyw funud. Ai Twm Siôn Cati oedd e ? Teimlodd ei chalon yn cyflymu.

Fe ddaeth pen y ceffyl i'r golwg heibio i'r tro, ond gwelodd ar unwaith mai merlyn bach llwyd ydoedd ac mai bachgen pedair ar ddeg oed oedd ar ei gefn. Adnabu'r Ledi Eluned y bachgen yn union. Hwn oedd Sei Bach, mab tafarn Llwyn-yr-hwrdd—y dafarn fwyaf yn Nhregaron.

Daeth y merlyn yn gyflym i fyny'r lôn at ddrws ffrynt y Plas. Pan oedd y bachgen ar fin troi at y drws, gwelodd y Ledi Eluned yn y ffenestr.

"Llythyr i chi mei ledi, wedi dod gyda'r goets o Lunden."

"Llythyr i fi o Lunden ?" meddai hithau mewn syndod.

Estynnodd ei llaw amdano ac edrychodd ar y llawysgrifen. Roedd hi wedi ei gweld o'r blaen, ond ni allai feddwl ar y funud pryd na phle.

"Diolch Sei," meddai, "mae'n arw on'd yw hi ?"

"Ydy'. Mae llif mawr yn yr afon ! Roedd y goets ddwy awr yn hwyr yn cyrraedd—wedi mynd i'r ffos yn rhywle medde nhw."

"O'r annwyl ! Chafodd neb niwed gobeithio ?"

"Naddo, ond roedd Wil Pritchard y Gyrrwr yn ddrwg iawn 'i dymer pan gyrhaeddodd e . . . ac roedd golwg ar y ceffyle."

Edrychodd y Ledi Eluned yn eiddgar arno, a bu distawrwydd rhyngddynt am ennyd. Yna gofynnodd iddo,

"Doedd dim newydd cyffrous gan Wil Pritchard oedd e ?"

Bu distawrwydd rhyngddynt eto am ennyd. Nid oedd Sei'n siˆwr a ddylai ddweud wrthi ai peidio. Ond yr oedd hi'n edrych mor eiddgar, a pheth bynnag byddai'n siˆwr o glywed yr hanes gan rywun arall.

"Fe ddwedodd Wil Pritchard 'i fod e wedi clywed fod y gaseg ddu wedi ennill ras yn Lloeger, a'i bod hi'n rhedeg mewn ras fowr arall yn Llunden yr wythnos 'ma."

Ar ôl dweud 'i stori chwiliodd Sei wyneb gwraig ifanc y Plas i weld sut yr oedd hi wedi derbyn y newydd. Gwelodd ei bod hi'n gwenu'n siriol arno a theimlodd yn fwy esmwyth 'i feddwl.

"Oedd e' wedi gweld Twm ?" gofynnodd. Ysgydwodd Sei ei ben.

"O," meddai hi, "wel, rhaid i ti beidio aros yn y glaw. Dyma rywbeth bach i ti am ddod â'r llythyr."

Ar ôl i Sei fynd caeodd y ffenestr. A dyna lle'r oedd y gwalch! Gwenodd wrthi 'i hunan. Roedd e wrth 'i fodd wrth gwrs—yn cael hwyl braf—a hithau'n dechrau pryderu fod rhywbeth wedi digwydd iddo ! Yna rhoddodd ei sylw i'r llythyr yn ei llaw. Torrodd y sêl, a chan fod y stafell wedi mynd yn bur dywyll erbyn hyn, aeth yn ôl i ymyl y ffenestr i'w ddarllen.

Daliodd ei hanadl pan welodd y cyfeiriad ar ben y llythyr.

Temple Mansions
Holborn
London
Medi 20ed 1776

Madam,

Aeth tair wythnos heibio er pan ysgrifennais atoch, ac nid wyf wedi derbyn yr arian sy'n ddyledus i mi nac wedi clywed gair oddiwrthych. Gan imi egluro i chi ei bod yn angenrheidiol imi gael yr arian yma ar *unwaith*, rwyn synnu'n fawr na fuaswn wedi ei derbyn cyn hyn. Rhaid i mi eich rhybuddio yn awr y byddaf yn rhoi'r mater yn nwylo'r Gyfraith oni chlywaf oddi wrthych cyn pen pythefnos.

Arwyddwyd,

John Sbens.

Gwasgodd y llythyr yn belen fach gron yn ei llaw. Eisteddodd ar ei chadair wrth y tân. Erbyn hyn yr oedd yr ystafell yn dywyll ac nid oedd unrhyw sŵn ond sŵn y gwynt yn y coed tuallan a sŵn drip, drip diflas y glaw o fargodion y tŷ.

" 'Dyw e ddim wedi talu'r ddyled i Syr John !" Ni allai feddwl am ddim arall ond hynny. Beth oedd e wedi'i wneud â'r rhaff berlau ? Beth oedd ei thad wedi'i ddweud ? "Rhoi gofal yr ŵydd i'r cadno ?"

Fan honno wrthi'i hunan yn yr hanner tywyllwch fe deimlodd yn sydyn nad oedd ganddi yr un cyfaill yn y byd i gyd. A oedd Twm wedi gweld 'i gyfle ac wedi gadael Tregaron am

byth ? Gyda'r arian am y rhaff berlau a'r arian a wnâi wrth
rasio'r gaseg, gallai fyw'n gyfforddus yn Lloegr. Ond roedd e'n
mentro aros yng nghyffiniau Llundain. Roedd pobol o
Gymru—pobol a oedd yn ei adnabod—yn mynd i Lundain yn
aml. A oedd y gwalch yn gwybod na fyddai hi byth yn rhoi'r
Gyfraith ar ei war ?

Gallai glywed ei thad yn awr yn dannod iddi yn fuddugol-
iaethus, "Ddwedes i ddigon wrthyt ti, on'd do fe ?"

Yna dechreuodd feddwl beth a ddigwyddai pan ddywedai
wrth 'i thad beth oedd wedi digwydd. Byddai'n *rhaid* iddi
ddweud wrtho oherwydd byddai'n rhaid iddi gael benthyg
arian ganddo i dalu Syr John. 'Châi hi ddim benthyg gan neb
arall. Ond gwyddai ar ba delerau y byddai ef yn barod i'w
helpu. Cyn y bodlonai ei thad i dalu'r ddyled drosti byddai'n
rhaid iddi addo priodi Robert Ffynnon Bedr. Ac unwaith y
clywai ei thad am yr hyn oedd wedi digwydd ni allai hi na neb
arall ei rwystro rhag rhoi'r Gyfraith ar war Twm.

YNG NGHARCHAR HENFFORDD

YN ei gell yng ngharchar Henffordd eisteddai Twm Siôn Cati â'i ddwy ben-glin o dan ei ên, yn gwrando'r gloch yn canu. Gwyddai fod pob carcharor arall yn yr adeilad yn gwrando'n astud y funud honno ar yr un sŵn, ac nid oedd neb yn y carchar nac yn Henffordd chwaith na wyddai pam yr oedd y gloch yn canu. Yr oedd hyd yn oed y plant bach ar y stryd yn gwybod fod rhywun yn cael ei grogi. Ac fe wyddai'r rhan fwyaf pwy oedd yn cael 'i arwain i'r crocbren y funud honno. Hwn oedd diwrnod crogi Joe King y lleidr penffordd. Am dair wythnos bu'r lleidr a Twm yn byw yn yr un gell, ac yn ystod yr amser hwnnw yr oedd y ddau wedi dod i adnabod ei gilydd yn dda. Yn awr, a'r gloch yn dal i ganu, meddyliai Twm yn ddwys iawn am y dyn rhyfedd yma. Awr yn ôl, yr oedd wedi codi o'i wely gwellt a mynd gyda'r tri swyddog â gwên ar ei wyneb. Yr oedd gan un o'r swyddogion wyneb hir, gofidus.

"Gyfaill," meddai'r lleidr penffordd, "ti neu fi sy'n mynd i ddawnsio ar ddim y bore 'ma ?"

Yna gan droi at y prif swyddog, gofynnodd, "Mae gen i un cais, syr, cyn mynd."

Gwgodd y swyddog. "A beth yw hwnnw ?"

"Rwyn gofidio peth, syr, ynghylch fy nghrys."

"Dy grys ?"

"Ie. Mae'n debyg y bydd yna lawer o bobol yn dod i 'ngwylio i'n dawnsio, ac mae nghrys i'n fawlyd, syr. Does dim posib cael crys glân oes e ?"

Gwenodd y prif swyddog ac edrychodd y lleill arno gydag edmygedd. Yr oedd y dyn yma ar ei ffordd i'w grogi, a'r unig ofid a oedd arno oedd fod ei grys yn fawlyd !

Ond nid oedd gan y tri swyddog amser i smalio, a chyn bo hir yr oedd Joe King wedi mynd a drws y gell wedi cau, ac yn awr teimlai Twm ryw chwithdod rhyfedd wrth feddwl iddo fynd i'w daith olaf yn ei grys bawlyd wedi'r cyfan.

Yn sydyn tawodd y gloch a disgynnodd distawrwydd llethol

dros y carchar i gyd—fel petai pawb yn gwrando. Gallai Twm ddychmygu tyrfa fawr yn gwylio Joe King yn dringo'r grisiau i'r crocbren. Bron na allai glywed ffyliaid yn gweiddi arno ac yn ei wawdio. Ond gwyddai y byddai gan y lleidr pen-ffordd wên ac ateb parod i bawb. Yr oedd Twm wedi gweld dau arall yn ymadael â'r gell yn ystod y tair wythnos y bu ef yno. Cawsai un fynd yn rhydd, ac aeth y llall i'w grogi. Gwas un o ddynion busnes y dref oedd wedi ei ryddhau. Yr oedd wedi ei gyhuddo o ddwyn arian ei feistr, ond, wedi ei roi yn y carchar, daeth tystiolaeth i'r golwg i brofi nad ef oedd yn euog.

Dyn diffaith iawn o'r enw Phelps oedd wedi mynd i'w grogi. Yr oedd wedi ymosod ar wraig Maer y Dre un noson pan oedd hi ar ei ffordd yn ôl o ginio yn nhŷ perthynas iddi. Daliwyd y dihiryn wrth y weithred, ac er nad oedd wedi niweidio'r ddynes na dwyn ei heiddo, dedfrydwyd ef i farw.

Yn awr yr oedd Twm ei hunan yn y gell. Yn ystod y dyddiau cyntaf yr oedd y swyddog—Nokes—wedi bod yn filain iawn tuag ato, ond wedyn, ryw brynhawn, daethai ato i'r gell â llythyr oddi wrth Syr Philip Townsend. Dywedai'r llythyr fod popeth posibl yn cael ei wneud o'r tu allan. Byddai Syr Philip yn gofalu am y cyfreithiwr gorau o Lundain i'w amddiffyn pan ddeuai ei achos ger bron y Frawdlys, a byddai'r Porthmon a Wilf yno i roi tystiolaeth. Nid oedd Syr Philip yn amau dim na châi ei ryddhau heb unrhyw drafferth cyn gynted ag y byddai'r Llys yn clywed yr hanes i gyd. Yn y cyfamser byddai ef yn cymryd pob gofal o'r gaseg ac yn ceisio'i defnyddio hi i ennill digon o arian i dalu dyled y Ledi Eluned a chostau'r cyfreithiwr, gan mai dyna oedd dymuniad Twm. Yr oedd hi'n hawdd deall oddi wrth y llythyr fod yr hen ŵr bonheddig yn poeni'n arw fod Twm yn gorfod treulio chwe wythnos yn y carchar i ddisgwyl y Frawdlys.

Yn wir yr oedd bywyd y carchar wedi mynd yn fwrn ar ysbryd Twm. Âi'r dyddiau heibio o un i un yn ddiarwybod iddo. Ychydig o olau dydd a ddeuai i mewn drwy'r ffenest fach uchel, a phrin y gallai gadw cyfrif o'r diwrnodau.

Yn sydyn sylweddolodd fod rhywrai'n sefyll tuallan i'r drws. Clywodd sŵn allwedd yn y clo ac yna yr oedd rhywun wedi ei wthio i mewn i'r gell ato, a'r drws wedi ei gloi drachefn.

Yn awr safai dyn byr, tew, tua hanner cant oed ar ganol

llawr y gell â golwg ryfedd ar ei wyneb. Edrychai'n wyllt o'i gwmpas. Gwelodd Twm yn gorwedd ar y gwellt yn y gornel a rhythodd arno mewn dychryn. Yna aeth i'r gornel arall, bellaf oddi wrth Twm, a phwyso ar y wal heb ddweud yr un gair. Nid oedd Twm yn teimlo'n ddigon calonnog i ddweud dim wrtho, ac felly bu tawelwch rhyngddynt am amser hir. Sylwodd Twm fod y carcharor newydd yn ei wylio'n ofalus ond yn slei.

"Gafodd Joe King ei grogi ?" gofynnodd Twm ymhen tipyn.

Nid atebodd y dyn, dim ond edrych yn ofnus arno trwy gil ei lygad. Bu distawrwydd rhyngddynt eto.

"Roedd Joe King yn cysgu yn y gell yma neithiwr," meddai Twm wedyn.

"Yn cysgu yn y gell yma ? Joe King ! Y nefoedd fawr !" Roedd y carcharor newydd wedi dod o hyd i'w dafod o'r diwedd. Cododd ar ei draed a cherdded yn syth at ddrws haearn y gell. Gwyliai Twm ef yn syn.

"Pam ? Oes rhywbeth yn rhyfedd yn y ffaith fod Joe King wedi cysgu yn y gell yma neithiwr ?" gofynnodd.

Cydiodd y carcharor newydd ym marrau haearn y drws. "Ond roedd Joe King yn lleidr pen-ffordd ! Yn llofrudd ! Ddylsen nhw ddim bod wedi fy rhoi i yn y gell yma—gyda phobol fel Joe King—'dwy'i ddim wedi g'neud dim byd !"

Trodd i edrych ar Twm wrth ddweud hyn.

"Mae pethau felna'n digwydd. Roedd Joe King yn dweud nad oedd e ddim wedi lladd neb erioed. Ond fe aethon ag e i'w grogi'r bore 'ma," meddai Twm yn dawel.

"Ond roedd e'n lleidr pen-ffordd ! Roedd e'n haeddu cael 'i grogi ! A . . . a thithe . . . beth wyt ti wedi'i wneud ?" Yn union ar ôl gofyn y cwestiwn yma, edrychai'r dyn bach tew fel petai'n edifar ganddo—fel pe bai'n ofni clywed ateb Twm.

"Maen' nhw'n dweud mai fi lofruddiodd Amos Cohen."

"Amos Cohen ! Llofruddio Amos Cohen !" Gwasgodd y carcharor newydd ei gorff tew yn erbyn y drws, fel petai'n ceisio ei wthio 'i hun trwy'r barrau haearn. Yna dechreuodd weiddi nerth ei geg, "Help ! Help ! Hei !"

Cyn bo hir yr oedd sŵn traed yn y coridor a daeth y swyddog Nokes i'r golwg.

"Wel, beth yw'r mwstwr 'ma ? Ti oedd yn gweiddi ?" gofynnodd, gan edrych yn ffyrnig ar y dyn bach, tew.

"Ie, syr," meddai hwnnw.

"Pam roeddet ti'n gweiddi'r cnaf ? Mae pobl sy'n achosi cynnwrf yn y carchar yn cael 'u cosbi. Wel ?"

"Rwy' i am gael fy symud. Rwy' am gell i mi fy hun . . . fedra' i ddim . . ."

"A ! Rwyt ti am gell i ti dy hunan wyt ti ? Wel, wel ! Ac rwyt ti am weision a morynion wrth gwrs, a cherbyd i fynd â thi o fan i fan."

"Syr, 'dŷch chi ddim yn deall. Rwyn protestio 'mod i wedi cael fy rhoi mewn cell gyda lladron pen-ffordd a llofruddion. Rwyf fi'n ddyn busnes adnabyddus yn y dre, syr, a 'dydw i ddim wedi torri'r gyfraith."

Cydiodd Nokes yng ngholer ei got trwy'r barrau.

"Nawr gwrando gyfaill, mae'n rhaid dy fod di wedi torri'r gyfraith neu fuaset ti ddim yma. Nawr, rwyf fi'n ddyn caredig. All neb ddweud fod Fred Nokes yn galon-galed. Ond rwyn hoffi tawelwch, ydw', rwyn hoffi tawelwch, ac o hyn ymla'n, gyfaill, fe fydd hi'n talu'r ffordd i ti gofio hynny . . . wyt ti'n deall ?"

Gwthiodd y dyn bach, tew oddi wrtho gyda'r fath nerth nes i hwnnw gwympo'n sydyn ar ei ben ôl ar lawr y gell.

Aeth y swyddog ymaith ond nid oedd brys ar y dyn tew i godi. Eisteddai yno'n dawel fel petai wedi anobeithio'n llwyr. Yna sylwodd Twm fod ei ysgwyddau'n mynd i fyny ac i lawr yn rheolaidd. Cododd ar ei draed ac aeth yn nes at y creadur anffodus. Pan gafodd olwg ar ei wyneb gwelodd ei fod yn crio'n ddistaw â'r dagrau'n rhedeg i lawr dros ei fochau tew. Estynnodd Twm ei law gan feddwl ei godi oddi ar y llawr.

"Paid â chyffwrdd a mi !" gwaeddodd y dyn bach mewn dychryn. Ond wedyn cododd ac aeth yn ôl i gornel y gell a gorweddodd ar y gwellt.

Yr oedd hi'n mynd yn dywyll yn y gell erbyn hyn a phrin y gallai Twm a'r carcharor newydd weld ei gilydd. Cyn bo hir fe fyddai mor dywyll â bol buwch.

" 'Doedd yr hyn a ddywedodd Nokes ddim yn wir," meddai Twm, ar ôl adeg hir o dawelwch. Erbyn hyn yr unig olau a welent oedd llewyrch gwan o gyfeiriad drws y gell, a ddeuai o'r lamp olew a oedd yn hongian yn nes i lawr ar fur y coridor.

Bu ysbaid arall o dawelwch, yna gofynnodd y dyn tew yn sydyn.

"Beth oedd ddim yn wir ?"

"Fe ddywedodd Nokes fod rhaid i ddyn dorri'r gyfraith cyn gorfod mynd i'r carchar. Thorrais i ddim mo'r gyfraith, efallai fod yr un peth yn wir amdanat ti ?"

"Ond, fe ddwedest mai ti oedd wedi llofruddio Amos Cohen !"

"Fe ddwedes i 'u bod *nhw*'n dweud hynny. Ond nid fi a'i lladdod e."

"Hy ! Mae'n naturiol i ti wadu wrth gwrs ; mae pawb yn gwadu . . ."

Yr oedd ei lais yn llawn gwawd yn y tywyllwch, a theimlodd Twm yn ddig wrtho.

"Os wyt ti'n dweud fod pawb yn gwadu, mae hynny'n wir amdanat ti hefyd felly ?"

"Cael fy nhwyllo wnes i !" Yr oedd llais y dyn tew yn crynu. "Fe rois i fenthyg arian—pedwar cant o bunnoedd i gyd—i ŵr bonheddig. Fe addawodd 'u talu nhw'n ôl . . . ond mae e' wedi mynd heb dalu'r un ddime goch."

Bu distawrwydd wedyn am dipyn.

"Mae'n syndod mor dwyllodrus y gall gwŷr bonheddig fod. Roedd gen i fusnes—siop ddillad—ac rown i'n dod ymla'n yn y byd. Roedd pobol ore Henffordd yn prynu gen i. Dyna oedd dechre'r drwg. Fe ddaeth Syr Henry Mortimer, gŵr bonheddig mawr o Lundain, i'r siop ryw ddiwrnod i fesur am ddillad. Roedd e'n gyfeillgar iawn. Fe fuodd yn cael te gyda ni, ac fe wahoddodd y wraig a minnau i swper. Doedden' ni ddim wedi troi ymysg y byddigion o'r blaen, ac rwyn ofni i ni golli tipyn arnon' ni'n hunain. Fe ddaeth nifer o ffrindie Syr Henry i fesur am ddillad. Doedden nhw ddim yn talu lawr—fydd gwŷr bonheddig byth yn gwneud. Wedyn fe ofynnodd Syr Henry am fenthyg dau gan gini. Oni bai am fy ngwraig rwyn meddwl y bu'swn i wedi gwrthod . . ."

Aeth y stori ymlaen ac ymlaen. Nid oedd Twm yn talu llawer o sylw iddi erbyn hyn—roedd ei diwedd mor amlwg.

"Wel," meddai'r llais o'r tywyllwch, "trannoeth y ras fe es

i i'r ' Golden Eagle ' fel roedden ni wedi cytuno, i mofyn yr arian. Roedd y goets i Lundain yn sefyll o flaen y drws, a'r gyrrwr ar y bocs yn barod i gychwyn. Fe welais wyneb Syr Henry trwy ffenest y goets. Ond y funud honno dyma nhw'n cychwyn. Fe waeddais ar Syr Henry ond chymerodd e ddim sylw. Fe redais ar ôl y goets am dipyn, ond wrth gwrs roedd y ceffylau'n mynd yn rhy gyflym i mi. Cyn iddyn' nhw fynd o'r golwg heibio i'r tro, fe welais Quinn, gwas Syr Henry, yn codi'i law ac yn chwerthin . . ."

Mewn amrantiad yr oedd Twm yn gwrando'n astud.

"A dyma fi, John Higgins, oherwydd ffolineb fy ngwraig, ac oherwydd twyll gwŷr bonheddig, wedi 'nhaflu i garchar. Mae arna' i chwe chant a hanner o ddyled, a does gen i ddim gobaith 'u talu nhw. Felly, mae'n debyg mai fan yma y bydda' i . . ."

"Beth ddywedaist ti o'dd enw gwas Syr Henry ?" gofynnodd Twm yn dawel.

"Enw gwas Syr Henry ? Quinn. Pam ?"

Caeodd Twm ei ddyrnau yn y tywyllwch. Funud yn ôl yr oedd anobaith bywyd y carchar yn drwm arno. Yn awr yr oedd ei feddwl yn gwbwl effro unwaith eto. Sylweddolodd fod ffawd yn ei ffordd ryfedd ac anesboniadwy wedi ei helpu. O'r blaen rhyw greadur aneglur ymysg miloedd o bobl oedd Quinn, ond yn awr fe wyddai pwy oedd—gwas Syr Henry Mortimer ! Fe fyddai'n hawdd dod o hyd iddo pe câi fynd yn rhydd o'r carchar.

"Dyn llwyd 'i wyneb oedd e', a'i ben yn dechrau mynd yn foel, a dillad duon . . . ?"

"Ie. Oeddet ti'n 'i nabod e ? Fu'swn i'n synnu dim. Mae'n amlwg nawr mai dihiryn oedd e."

Ni allai Twm lai na deall yr awgrym a oedd yn y geiriau, ac unwaith eto teimlodd yn ddig tuag at y siopwr hunan-gyfiawn.

DIANC !

Fe geisiai Twm ddyfalu faint o'r gloch oedd hi. Wyth ? Naw ? Tueddai i gredu mai tua naw oedd hi. Nid oedd ef a Higgins wedi torri gair â'i gilydd ers dwy awr o leiaf. Yr oedd rhywun yn un o'r celloedd wedi bod yn gweiddi'n uchel rhyw bum munud ynghynt ; wedyn clywsai Twm ddrws yn agor, llais uchel Nokes, yna un waedd uwch na'r lleill a thawelwch. A hynny a roddodd y syniad ym mhen Twm. O'r funud y clywodd stori'r siopwr daeth awydd cryf drosto am fod allan ar y ffordd fawr yn dilyn trywydd Quinn, a thrwyddo ef, berlau'r Ledi Eluned. Gwyddai yn ei galon na allai fod yn dawel nes dod wyneb yn wyneb â Quinn unwaith eto. Ac yn awr yr oedd y syniad gwyllt yma ynglŷn â dianc yn troi a throi yn ei feddwl. Un funud fe ddywedai wrtho'i hunan fod y cynllun yn un gwallgof ; 'doedd dim gobaith iddo lwyddo. Ond y funud nesa fe ddywedai wrtho'i hunan fod y cynllun mor syml nes bod rhaid iddo lwyddo. Beth bynnag, unwaith yr oedd y syniad am ddianc wedi dod iddo, gwyddai na allai fod yn dawel nes rhoi cynnig arno.

Gallai glywed y siopwr yn anadlu yn y tywyllwch, ond ar wahan i hynny yr oedd y carchar mor dawel â'r bedd. A oedd e'n cysgu ? Fe deimlai Twm yn gynhyrfus. A oedd hi'n well aros am dipyn ? Pryd oedd yr amser gorau i drio'r cynllun ? Ar unwaith neu yn nyfnder nos ? Yna penderfynodd yn sydyn.

Cododd, a rhoi naid trwy'r tywyllwch i'r gornel arall o'r gell. Disgynnodd ar ben y siopwr. Dechreuodd hwnnw weiddi cyn i ddim byd arall ddigwydd iddo. Yna cafodd Twm afael yn ei glustiau a dechrau tynnu. Aeth sgrechfeydd y siopwr drwy'r carchar i gyd. Credai'r truan fod ei ddiwedd wedi dod. Fe geisiodd wingo i'w ryddhau ei hun, ond daliai Twm i dynnu wrth ei glustiau. Yr oedd ei sgrechfeydd yn awr yn annaearol, ond trwy'r cwbwl fe geisiai Twm glustfeinio am sŵn traed yn y coridor. Ond y peth cyntaf a welodd oedd golau yn nrws y gell. Yr oedd rhywun yno â lamp yn ei law. Tynnodd Twm yn galetach wrth glustiau Higgins, a rhoes hwnnw sgrech oerllyd arall. Agorodd drws y gell a gwelodd Twm fod dau swyddog wedi cerdded i mewn. Nid oedd wedi disgwyl mwy nag un.

"Beth gynllw'n sy'n mynd ymla'n 'ma !" Llais Nokes. "Jerry, rwy' am i ti hanner lladd y ddau ohonyn' nhw !"

Yr eiliad honno gollyngodd Twm ei afael yng nghlustiau'r siopwr a throi fel llysywen yn y gwellt. Cydiodd yng nghoesau Jerry. Un plwc, ac roedd hwnnw'n mesur ei hyd ar y llawr. Yna cododd Twm ar ei draed a chyrraedd cic at y lamp yn llaw Nokes. Aeth yn deilchion ar lawr y gell a diffodd. Yn y tywyllwch teimlodd ddwylo Nokes yn cyffwrdd â'i gorff. Neidiodd o'i afael a mynd am y drws agored. Cyn gynted ag y daeth allan i'r coridor dechreuodd Twm redeg nerth ei draed. Clywai Nokes yn bloeddio rhywbeth ar dop ei lais. Ym mhen draw'r coridor yr oedd drws haearn mawr a hwnnw ar agor. Wrth redeg heibio i ddrysau'r celloedd gallai weld wynebau llwydion y carcharorion eraill yn ei wylio. Clywai eu lleisiau'n gweiddi tu ôl iddo. Daeth y drws agored yn nes. Yna gwelodd swyddog arall yn sefyll ym mhen draw'r coridor. Nid oedd wedi bargeinio am hyn. Pan ddaethai ef i mewn i'r carchar nid oedd ond Nokes a Jerry. Fe geisiodd redeg yn gynt. Ond yr oedd y swyddog wedi sylweddoli beth oedd yn digwydd. Cydiodd yn y drws mawr i'w gau yn wyneb Twm. Fel y carlamai i lawr y coridor gallai Twm weld y drws yn cau yn ei erbyn. Gwnaeth un ymdrech arall a'i hyrddio'i hun yn erbyn y drws eiliad cyn i'r swyddog wthio'r pâr i'w le. Disgynnodd ar y barrau haearn â'r fath nerth nes brifo'i gorff i gyd. Ond ar yr un pryd yr oedd y drws wedi agor eto, mor sydyn nes brifo'r swyddog hefyd. Gorweddai hwnnw ar y llawr yn awr â gwaed yn llifo o glwyf ar ei dalcen. Gorweddai heb symud gewyn a'i lygaid ynghau. Tu ôl iddo gallai Twm glywed bedlam o sŵn. Cyn gwneud dim arall brysiodd i gau'r drws haearn mawr rhyngddo a'r gweddill o'r carchar. Yr oedd wedi sylweddol mai'r drws yma oedd yn diogelu'r carchar i gyd, gan na allai neb ei agor o'r tu mewn. Felly, os dihangai rhyw garcharor o'i gell nid oedd ganddo obaith mynd yn rhydd tra byddai'r drws yma ynghau. A chan fod Jerry a Nokes yr ochr arall i'r drws fe deimlai Twm ei obeithion yn codi. Aeth at y drws bach

hwnnw y daeth i mewn drwyddo dair wythnos ynghynt. Yr
oedd yr allwedd yn y clo !

Cydiodd yn yr allwedd a'i throi. Teimlodd y drws yn agor.
Yna, cyn mynd allan edrychodd dros ei ysgwydd. Yr oedd
Nokes wedi cyrraedd y drws haearn. Yn awr edrychai ar Twm
yn fud â golwg ar ei wyneb bawlyd fel pe bai'n gwrthod credu.
Aeth Twm allan drwy'r drws â'r allwedd yn ei law.

Yr oedd hi'n dywyll tu allan, yn enwedig yng nghysgod
porth mawr y carchar. Clodd y drws a thaflodd yr allwedd i'r
gwter ddofn a redai gydag ymyl y palmant. Safodd am funud
yn y cysgodion yn sugno awyr iach i'w ysgyfaint. Cododd ei
ben ac edrychodd ar yr awyr. Yr oedd hi'n noson glir wyntog,
ddi-leuad, ac edrychai'r sêr yn hynod o gyfeillgar ac agos-ato.
Yna clywodd sŵn canu aflafar a sŵn traed yn nesáu tuag ato.
Gwasgodd yn dynnach i'r cysgodion. Aeth dau ddyn meddw
heibio fraich ym mraich. Ar ôl iddynt fynd sleifiodd Twm
ymaith trwy'r tywyllwch i'r cyfeiriad arall. Wrth fynd, fe
deimlai yntau fel canu hefyd. Yr oedd yn rhydd unwaith eto.

Y GOETS FAWR

GORWEDDAI Twm ar bentwr o wellt glân ar lawr hen sgubor yng nghefn tafarn y "Green Dragon", yn gwrando'r glaw'n disgyn ar y to. Yr oedd yno trwy garedigrwydd osler y "Green Dragon", a oedd wedi ei weld yn nesu at y dafarn pan oedd hi'n dechrau tywyllu. Rhaid bod yr osler wedi gweld golwg flinedig iawn arno, oherwydd, cyn i Twm gael cyfle i ofyn dim iddo, dywedodd, "Rwyt ti am le i orwedd gwlei ?"

A dweud y gwir roedd Twm wedi meddwl cerdded ymlaen tua Llundain am rai oriau wedyn tan gysgod nos, ond gan ei bod hi wedi dechrau bwrw glaw eto, yr oedd yn falch o dderbyn cynnig yr osler caredig.

" 'Dwyt ti ddim wedi gwneud dim byd drwg wyt ti ?" gofynnodd yr osler gan ei lygadu'n fanwl, cyn gadael iddo fynd i'r sgubor. Edrychodd Twm i fyw ei lygad.

"Na, dydw i ddim wedi gwneud dim drwg."

"Dyna ti 'te. Fe fûm inne'n falch o le i orwedd cyn hyn, pan own i 'mhell o gartre."

Ac yn awr wrth wrando sŵn y glaw teimlai Twm hefyd yn falch fod ganddo le i orwedd a tho uwch ei ben. Ar yr un pryd teimlai'n anesmwyth. Fe ddylai fod ar ei daith tua Llundain. Yr oedd pedwar diwrnod wedi mynd heibio er pan ddihangodd o garchar Henffordd ac roedd milltiroedd lawer rhyngddo a'r dref honno erbyn hyn. Eto, roedd milltiroedd rhyngddo a Llundain hefyd. Wrth orwedd fan honno yn y tywyllwch rhedai ei feddwl yn ôl dros y pedwar diwrnod a aeth heibio. Pedwar diwrnod o redeg, ymguddio ac o osgoi pentrefi a thai a phobol, pedwar diwrnod o brinder bwyd a phrinder cwsg. A oeddynt ar ei ôl o hyd ?

Yr oedd ei draed yn boenus a'i esgidiau'n dyllog wedi'r holl gerdded. Edrychai ei ddillad hefyd yn fawlyd ac yn garpiog. Cododd ei law at ei ên a theimlodd y farf ddu, arw a oedd wedi tyfu yno.

"Rhaid 'mod i'n edrych fel bwbach y brain !" meddai wrtho'i hunan.

Yn sydyn clywodd swn corn yn canu yn y pellter. Nid oedd angen dweud wrtho beth oedd yno. Y Goets Fawr—ar ei ffordd i Lundain mwy na thebyg. Rhaid ei bod hi'n mynd i aros i newid ceffylau yn y "Green Dragon". Dyna pam yr oedd y corn wedi ei ganu—er mwyn rhybuddio osler y dafarn i baratoi'r ceffylau ffres yn lle'r rhai blinedig a oedd yn tynnu'r cerbyd mawr, trwm tuag at y "Green Dragon" y funud honno. Yr oedd hefyd yn rhybudd i wraig y dafarn a'r morynion i fod yn barod rhag ofn y byddai'r teithwyr ar y goets yn gofyn am bryd o fwyd cyn mynd ymlaen ar eu ffordd i Lundain.

Bwyd ! Fe roddai Twm lawer y funud honno pe gallai gerdded i mewn i gegin olau'r "Green Dragon" a galw am ginio fawr, boeth. Yr oedd ganddo ddigon o arian i brynu'r bwyd—yr oedd pymtheg swllt yn ei boced y funud honno. Dyna oedd yn weddill o'r sofren felen a wniwyd tu mewn i leinys ei got gan ei fam cyn iddo ymadael â Thregaron.

Pymtheg swllt ! Efallai y byddai cymaint â hynny'n ddigon i dalu am ei gludo gan y goets i Lundain ! Na, byddai'r goets yn llawn mwy na thebyg. Ond efallai y byddai lle i deithio *tuallan* arni. Fyddai neb lawer yn fodlon teithio ar ben y goets ar noson mor arw. Ond byddai'n well ganddo ef deithio felly, nid yn unig am ei bod yn rhatach, ond am y byddai'n gallu cadw yn y tywyllwch y rhan fwyaf o'r amser. Na, roedd hi'n rhy beryglus. Byddai mentro allan i glôs y "Green Dragon" pan gyrhaeddai'r goets yn gofyn am drwbwl.

Gallai glywed swn olwynion a charnau ceffylau yn awr. Yna clywodd swn gweiddi a swn drysau'n agor a chau. Yr oedd y goets wedi cyrraedd. Cyn pen deng munud, neu chwarter awr fan pellaf, byddai wedi cychwyn eto ar ei thaith. Gorweddodd yn ôl yn y gwellt gan ymestyn ei goesau blinedig. Bu hynny'n ddigon i'w atgoffa eto am ei draed dolurus a'i esgidiau tyllog. Cododd ar ei draed yn sydyn ac aeth am y drws.

Rhwng y golau croesawgar a lifai allan trwy ffenestri'r "Green Dragon" a'r golau o lampau mawr y goets, yr oedd bron fel dydd ar glôs y dafarn. Safodd Twm yn y cysgodion am funud yn gwylio'r olygfa. Gallai weld yr osler caredig a oedd wedi caniatáu iddo fynd i'r sgubor, yn siarad â gyrrwr y goets—

dyn anferth o fawr â dwy neu dair cot fawr drwchus amdano,
a menig am ei ddwylo. Yr oedd yr osler a dau fachgen tua
phymtheg oed wrthi'n newid y ceffylau. Cerddodd Twm allan
i'r golau. Wrth nesáu at y goets gwelodd ei bod yn wag. Roedd
y teithwyr i gyd wedi rhuthro i gegin y dafarn am fwyd a
thipyn o wres.

"Welsoch chi ddim mo Joe King ar eich taith Mr.
Humphrey ?" gofynnodd yr osler fel y deuai Twm yn nes
atynt. Safodd y ddau hogyn wrth eu gwaith i glywed ateb y
dyn mawr. Yr oedd gyrrwr y goets yn arwr mawr ganddynt.
Ond gwelodd y gyrrwr hwy'n sefyll.

"Ewch ymla'n â'ch gwaith y cnafon bach ! Ŷch chi am i'r
goets fod yn hwyr yn cyrraedd Llundain ? Mae hi hanner
awr yn hwyr nawr !"

Aeth y ddau hogyn ymaith gan arwain dau geffyl, a'r rheiny'n
mygu yn y glaw.

"Joe King ddwedest ti, Bill ? 'Weles i olygfa hyfryd iawn
cyn gadael Henffordd fachgen—Joe King yn hongian, â rhaff
dda am 'i wddf e."

"Ydy' e wedi'i grogi, Mr. Humphrey ?"

"Ydy' diolch i'r nefoedd ; ond cofia mae digon o'i fath e' ar
ôl 'to."

"Oes yn wir Mr. Humphrey, ond mae'n dda gweld fod y
Gyfraith yn dal ambell un."

"Ydy', Bill. Ond mae'r Gyfraith yn colli ambell un hefyd.
Wyddost ti, roedd hylabalŵ ofnadwy yn Henffordd—rhyw
lofrudd wedi dianc o'r carchar. Glywest ti erioed y fath beth ?
Ar ôl i un o fechgyn Bow Street 'i ddala fe ! Bechgyn da yw
bechgyn Bow Street, Bill."

Yr oedd Twm wedi sefyll yn ymyl tra'r oedd y siarad yma'n
mynd ymlaen, ac nid oedd yr un o'r ddau wedi ei weld. Pan
glywodd hyn fe drodd i fynd ymaith yn ddistaw bach. Ond
digwyddodd i'r osler droi ei ben.

"Hei ! Beth wyt *ti* eisie ?"

Nid oedd dim amdani ond troi'n ôl atynt.

"Rown i am ofyn a oes lle i un ar y goets ?" gofynnodd.

Edrychodd yr osler a'r gyrrwr arno'n fud.

Agorodd yr osler ei ben i ddweud rhywbeth, ond y gyrrwr a
atebodd serch hynny.

"Does gen i ddim lle i ddryw bach ar y goets heno." Trodd oddi wrth Twm. "Wel Bill," meddai, "mi af i i'r gegin i gynhesu tipyn ac i weld a yw cwrw'r 'Green Dragon' cystal ag arfer."

"Ewch chi Mr. Humphrey, fe ofalwn ni am bope.. Mae eisie rhywbeth arnoch chi ar ôl gyrru trwy'r glaw 'ma."

"Eitha' reit. Rwy'n teithio i fyny ac i lawr y ffordd yma ers pum mlynedd, a dydw i ddim yn cofio tywydd tebyg . . ."

Aeth y Gyrrwr, gan rwgnach, tuag at ddrws y dafarn.

"O !" meddai'r osler, gan lygadu Twm, "oeddet ti ddim yn hoffi dy wâl ?"

"O oeddwn, ond meddwl rown i . . . pe bai lle'n digwydd bod ar y goets . . ."

"Rwyt ti'n dipyn o ŵr bonheddig wyt ti ddim ? Teithio ar y goets ! Wel !" Edrychodd yn amheus ar Twm.

"O wel," meddai hwnnw, "fe af fi nôl i'r gwellt. A diolch eto am adel i fi fynd i'r sgubor."

Ciliodd amheuon yr osler gyda'r geiriau hyn.

"Paid â sôn, mae croeso i ti."

Aeth Twm ymaith yn gyflym heibio i dalcen y dafarn ac i'r tywyllwch unwaith eto. Fe deimlai'n awr iddo fod yn ffŵl i feddwl am fynd gyda'r goets, ac yn ffolach fyth i fentro i'r golau â chymaint o bobl o gwmpas. Fe allai fod wedi mynd yn syth i'r ddalfa. Gwyddai yn awr fod ei ddianc o garchar Henffordd wedi achosi cynnwrf, a diau fod chwilio mawr amdano ymhob man.

Gorweddodd yn ôl yn y gwellt unwaith eto, a cheisiodd anghofio'r goets a phopeth. Ac yn wir yr oedd cymaint o flinder arno fel y dechreuodd deimlo'n gysglyd bron ar unwaith. Cyn ymollwng i gwsg gwnaeth benderfyniad y byddai'n codi ymhell cyn dydd, a chychwyn ar ei daith.

Ond pan oedd ar fin mynd i gysgu clywodd sŵn traed yn dod yn frysiog at ddrws y sgubor. Ar unwaith yr oedd yn gwbwl effro. Neidiodd ar ei draed. Aeth yn ddistaw trwy'r tywyllwch i gyfeiriad y drws. Ai dyma'i diwedd hi ? A oedd yr osler wedi dweud wrth rywrai ei fod yn amau'r dyn a oedd yn gorwedd yn y sgubor ? Daeth y sŵn traed yn nes. Caeodd Twm

ei ddau ddwrn yn y tywyllwch. Nid ar chware bach y byddai ef
yn ildio'i ryddid ar ôl dod mor bell.

"Hei !" gwaeddodd llais o'r tu allan. Llais yr osler.

"Ie ?" meddai Twm yn dawel o'r tu mewn.

"Brysia os wyt ti am fynd gyda'r goets !" gwaeddodd yr
osler.

Bu Twm yn ddistaw am ennyd. Beth oedd hyn ? Tric ?
On'd oedd y Gyrrwr wedi dweud nad oedd dim lle ar y goets ?

"Wyt ti am fynd neu nag wyt ti ?" gwaeddodd yr osler eto.
"Mae dau ŵr bonheddig wedi penderfynu aros yn y ' Green
Dragon ' tan yfory am 'i bod hi'n noson mor ofnadw', ac mae
Mr. Humphrey wedi dweud fod yna le i ti nawr, os wyt ti am
fynd."

Anadlodd Twm yn fwy rhydd. Roedd yr eglurhad yn
swnio'n debyg i wir. Agorodd y drws ac aeth allan i'r glaw.

"Rhaid i ti frysio," gwaeddodd yr osler gan redeg o'i flaen.

Ond pan gyrhaeddodd Twm y goets nid oedd y teithwyr i
gyd wedi dod allan o'r dafarn.

"Wel ?" meddai'r Gyrrwr yn ddi-amynedd, "mae 'na le i ti
nawr os wyt ti am ddod gyda ni."

"E . . . faint yw'r tâl ?" gofynnodd Twm.

"Sofren," meddai'r Gyrrwr, "i'w thalu nawr."

"Does gen i ond pymtheg swllt," atebodd Twm.

"Wel, rwyn ofni y bydd rhaid i ti gerdded felly."

Dechreuodd Twm golli ei dymer, ond gwyddai na thalai
iddo godi cynnwrf yn y fan honno. Trodd i fynd yn ôl i'r
sgubor.

"Na, aros !" gwaeddodd y Gyrrwr. Tynnodd Twm o'r
neilltu. "O'r gore, machgen gwyn i—y pymtheg swllt."
Daliodd ei law allan am yr arian. Tynnodd Twm ei ychydig
sylltau o'i boced a'u rhoi iddo.

"Gofala na ddwedi di ddim gair wrth neb dy fod di wedi
teithio gyda'r goets 'ma heno, wyt ti'n deall ?"

Roedd Twm yn deall yn iawn. Gwyddai na fyddai'r Cwmni
yn gweld dim dimai goch o'r pymtheg swllt. Byddai'r cyfan yn
mynd i boced y Gyrrwr.

"A chofia," meddai hwnnw wedyn, "fe fydda' i'n dy ollwng
di lawr cyn cyrraedd y Swyddfa bore fory."

Y foment honno daeth rhai o deithwyr y goets allan o'r dafarn. Ychydig o flaen y lleill cerddai dwy ferch ifanc, un ohonynt yn amlwg yn ferch fonheddig. Yr oedd rhywbeth yn ei cherddediad a wnaeth i Twm edrych yn graff arni. A oedd wedi ei gweld o'r blaen ? Gwisgai hugan-teithio hir hyd y llawr, a chydiai yng ngwaelod hwnnw wrth gerdded rhag i'w odre lusgo drwy'r llaid ar glos y dafarn. Pan ddaeth hi o fewn cyrraedd golau lamp fawr y goets, gwelodd Twm ei hwyneb. Wyneb crwn, eithriadol o dlws, llygaid duon yn fflachio yn y golau. Eluned Prys y Dolau !

Cymerodd Twm gam ymlaen, yna cam yn ôl. Fe deimlai'n ddryslyd. Rhedodd yr osler i agor drws y goets iddi. Am eiliad edrychodd y Fonesig Eluned i gyfeiriad Twm a'r Gyrrwr ond ni roddodd unrhyw arwydd ei bod yn adnabod y dyn ifanc carpiog â'r farf ddu.

Yna cerddodd i mewn i'r goets fel pe bai'n berchen arni.

Rywfodd neu 'i gilydd llwyddodd Twm i'w lusgo'i hun i ben y goets. Caewyd y drysau a dringodd y Gyrrwr i'w sedd. Yna yn sŵn gweiddi a chyfarth cŵn cychwynnodd y goets ar ei thaith.

LLADRON PEN-FFORDD

YR oedd hi'n arllwys y glaw o hyd ac yn dywyll fel bol buwch. Teimlai'r Ledi Eluned ei thraed yn oer a cheisiodd eu gwthio'n ddyfnach i'r gwellt ar lawr y goets. Glaw, glaw, glaw ! On'd oedd hi wedi bwrw bob dydd ers wythnosau ? A dyma hi nawr yn glawio'n waeth nag erioed. Meddyliodd am y teith-wyr ar ben y goets. Roedd y rheiny allan yn y tywydd. Druan ohonynt ! Teimlodd yn anesmwyth braidd am ei bod mewn cymaint gwell amgylchiadau na hwy. Roedd y daith yn ddigon anghysurus iddi hi a'r lleill tu mewn i'r goets, ond aeth ias drwyddi wrth feddwl am y rhai a oedd tuallan. Rhaid eu bod yn wlyb hyd at eu crwyn a bron rhewi.

Er fod y glaw'n tywyllu'r ffenestri, fe ddeuai tipyn o olau melyn lampau mawr y goets i mewn drwyddynt, a gallai'r Ledi Eluned weld wynebau ei chyd-deithwyr. Nid oedd gan yr un ohonynt air i'w ddweud yn awr, ac nid oedd dim i'w glywed ond sŵn carnau'r ceffylau a sŵn yr olwynion ar y ffordd dyllog. Bob yn awr ac yn y man âi un o'r olwynion i mewn i dwll neu rigol fwy na'i gilydd, yna câi pob un ohonynt ei daflu allan o'i sedd bron.

O'i chornel edrychodd y Ledi Eluned o un wyneb i'r llall. Gyferbyn â hi eisteddai'r ddynes dew, ofidus yr olwg, â'r dillad costus, a oedd yn teithio, meddai hi, at ei merch a oedd yn wael yn Llundain. Yn nesaf ati—y dyn tywyll siaradus a oedd yn dychwelyd i Lundain o Gymru. Yr oedd ef wedi etifeddu tipyn o dir yn sir Fynwy ar ôl hen ewyrth iddo, ond wedi mynd bob cam i Gymru i'w weld, yr oedd wedi penderfynu ei werthu ar unwaith. Ni allai ef feddwl byw "in that wild country", fel y dywedodd wrth y Ledi Eluned ar swper yn y "Green Dragon". Ar draws ei ddwy ben-glin cariai fag lledr brown.

Yn ymyl y dyn pryd tywyll eisteddai'r dyn distaw. Nid oedd ef wedi dweud yr un gair wrth neb er pan ymunodd â'r goets yn y "Green Dragon", a rywfodd neu'i gilydd yr oedd ei ddistawrwydd ef wedi effeithio arnyn' nhw i gyd. Dyna pam yr oedden nhw bob un mor ddywedwst yn awr. Eisteddai yn ei gornel, â'i ddwy law ar ei ben-glin a'i ben yn pwyso ychydig ymlaen.

Gyferbyn ag ef eisteddai'r cyfreithiwr. Dillad du yn dechrau mynd yn wyrdd gan henaint oedd amdano, a chariai ffon â phen arian iddi. Yn awr pwysai ar ei ffon gan edrych yn graff ar y dyn distaw gyferbyn ag ef.

Wedyn yr oedd Neli, morwyn y Ledi Eluned. Druan o Neli ! Yr oedd hi wedi cychwyn allan o Dregaron mewn hwyliau mawr. Pan ddeallodd ei bod yn cael mynd gyda'i meistres i Lundain bu bron iddi lewygu gan lawenydd ! Oedd, yr oedd hi'n hardd iawn yn cychwyn o Dregaron, â'r bonet newydd a'r rhuban glas, llydan yn cau'n ddolen fawr o dan ei gwddf. Ond yn awr yr oedd y ddolen yn edrych yn llipa iawn, a'r un â'i gwisgai yn edrych yn llwyd ac yn flinedig.

"A wnes i gam â'r eneth trwy ei dwyn hi ar daith mor bell ?" gofynnodd y Ledi Eluned iddi ei hunan yn awr. Yna dechreuodd feddwl beth yn y byd oedd yr un ohonynt yn ei wneud yn y goets fawr ar y ffordd i Lundain ar y fath noson ofnadwy ! Beth oedd wedi codi yn 'i phen hi i fentro ar y fath siwrnai ? Roedd gan y glaw rywbeth i'w wneud â'r peth, meddyliodd. Roedd hi wedi bwrw digon cyn iddi adael Tregaron i ddinistrio'r cynhaeaf, a lle bynnag yr âi teimlai ryw ddiflastod mawr ym mhobman. Teimlai na allai wynebu'r gaeaf wrthi'i hunan yn y Plas. Pam nad oedd hi wedi mynd i'w hen gartref yng Nghiliau Aeron, at ei thad ? Gwyddai'n iawn na châi hi ddim llonydd yno—byddai ei thad yn pwyso arni'n barhaus i briodi Etifedd Ffynnon Bedr.

Ac wrth feddwl am ei hen gartref yng Nghiliau Aeron y cofiodd hi'n sydyn am Megan Tŷ Glyn. Megan oedd ei ffrind gorau pan oedd hi'n eneth fach yng Nghiliau Aeron. Ond erbyn hyn yr oedd Megan wedi priodi a symud i fyw i Lundain. Ond o'r funud y dechreuodd hi feddwl amdani, fe deimlai'r Ledi Eluned mai Megan oedd yr unig un a allai ei helpu—a allai roi cyngor iddi. Teimlai hefyd fod yn rhaid iddi gael amser i *feddwl*, a gwyddai na châi hi gyfle i wneud hynny os arhosai yn y Plas. Ac yn sydyn roedd hi wedi penderfynu cymryd y goets a chychwyn am Lundain !

Dwy—tair awr eto ? Pa bryd y cyrhaeddent y brifddinas ?

Ymddangosai'r daith yn ddi-ddiwedd. Chwipiai'r gwynt y glaw yn erbyn y ffenestr a dechreuodd feddwl eto am y teithwyr tu allan. Edrychodd ar Neli. Yr oedd ei llygaid ynghau, a'r ddolen yn y rhuban glas wedi datod.

Aethant trwy dref ddistaw heb fawr o olau ynddi.

"Windsor," meddai'r dyn â'r bag, ond ni chymerodd neb ddim sylw. Trodd y dyn distaw i edrych allan drwy'r ffenestr. Cyn bo hir yr oedd y goets wedi gadael Windsor ar ôl, ac unwaith eto teithient drwy'r wlad dywyll. Caeodd y Ledi Eluned ei llygaid. Teimlai'n flinedig iawn.

Yn sydyn clywodd sŵn gweiddi uchel, a stopiodd y goets mor sydyn nes taflu pob un ohonynt bron allan o'u seddau. Edrychodd y Ledi Eluned allan drwy'r ffenest, ond ni allai weld dim. Trodd yn ôl i holi ei chyd-deithwyr beth oedd yn bod, a chafodd sioc i weld fod y dyn distaw ar ei draed. Cafodd fwy o sioc fyth pan welodd bistol mawr du yn ei law.

"Beth . . . ?" meddai'r dyn â'r bag gan geisio codi o'i sedd. Gwthiodd y dyn distaw ef yn drwsgl yn ôl i'w le.

"Peidied neb â symud o'r fan lle mae e' nes bydda' i'n dweud !" meddai. O'r diwedd yr oeddynt wedi clywed ei lais.

"Syr," meddai'r cyfreithiwr, "rwy' am eich rhybuddio chi . . ."

Trawodd y dyn â'r pistol ef ar draws ei foch â chefn ei law. Heb droi ei gefn arnynt agorodd y drws a chwythodd y gwynt y glaw oer i mewn i'r goets.

"Allan â chi bob un," meddai'r dyn â'r pistol. Neidiodd ef i lawr i'r ffordd yn gyntaf a safodd wrth y drws nes bod pawb wedi disgyn.

"Mei Ledi ! Mei Ledi ! Be' sy' ?" sibrydodd Neli â'i llais yn crynu.

"Sh, Neli, fe fydd popeth yn iawn."

"Ond . . . ?" Gwasgodd ei meistres ei llaw.

Yr oedd y rhai a oedd yn teithio ar ben y goets wedi disgyn i'r llawr erbyn hyn hefyd. O'u blaen, bron tu allan i gylch y golau o lampau'r goets, eisteddai dyn ar gefn ceffyl du, llonydd. Yr oedd mwgwd am ei wyneb a daliai bistol ymhob llaw. Ni ddywedodd yr un gair, dim ond sefyll yn fygythiol â'i lygaid yn gwylio pob symudiad. Gwyddai pawb yn awr pwy oedd wedi stopio'r goets. Gwyddent hefyd eu bod yng ngafael dau leidr

penffordd. Ond ble'r oedd y lleidr a oedd yn teithio yn y goets ?
Nid oedd sôn amdano. Ond ni fuont yn hir cyn cael gwybod.
Yn sydyn dechreuodd y bagiau a oedd ar ben y goets ddisgyn ar
y llawr a chyn bo hir daeth y lleidr i lawr o ben y goets.
Tynnodd gyllell o'i boced a dechrau torri rhwyg ymhob un.
Gwibiodd ei fysedd yn gyflym trwy gynnwys pob bag.

Yr oedd Twm wedi hen golli ei dymer. Ni chymerai unrhyw
sylw o'r lleidr a oedd yn archwilio'r bagiau. Yr oedd ei lygaid
ef ar y lleidr ar gefn y ceffyl. Pe na bai'r Ledi Eluned yno
gwyddai y byddai wedi ceisio gwneud rhywbeth erbyn hyn.
Ond gwyddai hefyd y gallai unrhyw symudiad o'i eiddo ef
beryglu bywyd y lleill, a chan fod gwraig ifanc y Dolau yn un
o'r rheini, teimlai na allai fentro gwneud dim. Nid oedd lladron
penffordd yn arfer lladd onibai fod rhywun yn ceisio eu
rhwystro. Felly safodd yn y glaw yn berffaith lonydd. Ond
yr oedd ei waed yn berwi.

Erbyn hyn roedd y lleidr wedi gorffen archwilio'r bagiau.
Yn awr yr oedd ganddo sach gynfas yn ei law, a honno'n
hanner llawn. Yna trodd at y teithwyr. Edrychodd drostynt
yn fanwl a'i lygaid yn disgleirio yn y golau. Gwelodd y ddynes
dew yn codi ei llaw at ei gwddf a daeth gwên fileinig dros ei
wyneb creulon. Aeth gam yn nes ati. Cododd ei law a chyd-
iodd yn drwsgl yng ngholer ffwr ei chot deithio. Clywodd Twm
y brethyn yn rhwygo a gwelodd y gemau ar wddf y ddynes yn
fflachio. Rhoddodd y wraig ochenaid uchel, ond tynnodd y
rhaff ddisglair oddi ar ei gwddf a'i rhoi i'r lleidr. Daliodd
hwnnw hi yn ei law am eiliad gan edrych arni. Yna gwenodd
eto a thaflodd hi i'r sach.

Yr oedd y dyn pryd tywyll wedi dod â'r bag lledr melyn allan
gydag ef o'r goets, ac yn awr cydiai'n dynn ynddo. Aeth y
lleidr ato a thynnodd ef o'i law. Ysgydwodd ef, a chlywodd
pawb sŵn tincial arian. Teimlai'r Ledi Eluned yn siŵr fod yr
holl arian a gawsai am y fferm yn sir Fynwy yn y bag hwnnw.

Tro'r cyfreithiwr oedd hi nesa'.

Aeth y lleidr ato, a chydag un symudiad cyflym, tynnodd y
ffon â'r pen arian o'i law a thorrodd hi'n ddau ddarn ar draws
ei ben-glin.

"Faint o aur sy' gennyt ti, Solomon ?" gofynnodd yn wawd-
lyd. Yna gwaeddodd, "Agor dy got !"

Gwyddai'r Ledi Eluned mai ei thro hi oedd nesaf. Meddyliodd am yr ugain gini aur a oedd ganddi yn y boced fach ddirgel yn ei phais, o dan ei gŵn felfed las. Dechreuodd wylltio. Beth a wnâi pan ddeuai'r lleidr ati hi ? A fyddai'n rhaid iddi fynd i'r boced fach yn ei phais o flaen llygaid pawb ? Gwridodd wrth feddwl am y peth. Gwyddai hefyd yn sydyn na allai hi ddioddef i'r dihiryn gyffwrdd â hi, ac efallai rwygo'i dillad fel y gwnaeth â'r ddynes dew.

Gwelodd y lleidr yn derbyn oriawr arian fawr o law'r cyfreithiwr, yna hen waled drwchus o boced ei frest. Yna edrychodd y lleidr arni hi. Yr oedd ei feddyliau'n gawdel i gyd. Daeth y lleidr gam yn nes tuag ati.

Caeodd Twm ei ddau ddwrn yn dynn a daliodd ei anadl. Fel fflach estynnodd y lleidr ei law a chydio yng ngarddwrn y Ledi Eluned. Cymerodd Twm gam ymlaen. Ond yr eiliad nesaf gwelodd hi yn gwingo o afael y lleidr ac yn gweiddi, "Paid â chyffwrdd â mi !" Wedyn gwelodd hi'n dechrau rhedeg tuag ato a thuag at ben ôl y goets. Rhedodd heibio iddo â'i chot deithio'n hofran tu ôl iddi. Daeth y lleidr ar ei hôl. Cymerodd Twm gam cyflym a sefyll yn union o'i flaen. Trwy gil ei lygad gwelodd y Ledi Eluned yn diflannu i'r tywyllwch tu ôl i'r goets, ond cyn iddo weld dim rhagor disgynnodd pistol y lleidr ar ei dalcen. Fflachiodd sêr o flaen ei lygaid, yna syrthiodd i'r llawr a gorwedd yno'n hollol lonydd.

YR ADFAIL YN Y COED

DAETH Twm ato'i hunan yn araf. Meddyliodd iddo glywed
sŵn olwynion a sŵn carnau ceffylau, ond wedyn aeth pobman
yn ddistaw. Beth oedd o le ar ei wyneb ? Teimlai fel petai mil
o bryfed mân yn cerdded drosto. Ymhen tipyn sylweddolodd
mai'r glaw oedd yn disgyn ar ei wyneb a llifo i lawr dros ei
wddf. Agorodd ei lygaid. Yr oedd pobman yn dywyll. Yna
clywodd sŵn yn ei ymyl. Sŵn ceffyl yn ffroeni ac yn taro'r
llawr â'i garnau. Wedyn llais yn ei ymyl !

"Na, gad i ni fynd. Rwy'i am fod cyn belled ag sy' bosib
o'r lle 'ma cyn y bore."

Yna llais arall yn ateb.

"Ond roedd hi'n edrych yn gyfoethog. Fentra i sofren felen 'i
bod hi'n werth dod o hyd iddi. A pheth arall all hi ddim bod
ymhell ; fentra' i sofren arall nad yw hi ddim wedi mynd
ymhellach na'r coed 'na'r ochr arall i'r ffordd."

"Gad iddi fod. Fe elli di fod yn chwilio amdani drwy'r nos.
Tyrd, gad i ni fodloni ar yr hyn sy' gyda ni ; mae wedi bod
yn noson eitha' proffidiol."

"Rwyt ti'n rhy ofalus, Tom," meddai'r llais arall.

"Efalle 'mod i. Dyna pam rwy'i wedi dal cy'd â hyn heb
deimlo'r rhaff am fy ngwddf. Pan fydd Tom Dorbell yn cael 'i
ddal nid diofalwch fydd yn gyfrifol coelia di fi. Tyrd."

"Beth am hwn, Tom ?"

"Beth amdano fe ?"

"Mae e'n gorwedd ar ganol y ffordd, fe all cerbyd ddod . . ."

Clywodd Twm sŵn chwerthin gwawdlyd, yna clywodd y
ceffylau'n symud ymaith ac ni chlywodd ragor.

Ar ôl i bopeth ddistewi fe geisiodd godi ar ei draed, ond cyn
gynted ag y symudodd fe aeth poen fel saeth drwy ei ben a
gorweddodd unwaith eto ar y ffordd wlyb. Gwyddai fod yn
rhaid iddo fynd i edrych am y Ledi Eluned a oedd yn crwydro
yn rhywle yn y coed yr ochr arall i'r ffordd. Fe allai unrhyw
beth fod wedi digwydd iddi. Deallodd yn awr fod y goets wedi

mynd ar ei thaith hebddynt a theimlodd yn ddig. Ond wedyn sylweddolodd fod y gyrrwr wedi ei orfodi i fynd yn ei flaen gan y lladron, mwy na thebyg.

Dechreuodd ei feddwl grwydro. Beth oedd yn bod arno ? Cododd ei law at ei dalcen a theimlodd y clwyf agored lle'r oedd pistol y lleidr wedi ei daro. Rhaid ei fod wedi colli tipyn o waed—dyna pam y teimlai mor wan.

Pan ddaeth Twm ato'i hunan yr ail waith yr oedd y glaw wedi peidio a'r lleuad wedi codi. Yn awr gallai weld y ffordd yn weddol glir, yn dirwyn at y tro yn y pellter. Fe deimlai mor oer â thalp o rew. Gwyddai fod rhaid iddo godi o'r fan lle gorwedd-ai ar unwaith neu byddai ar ben arno. Y tro hwn fe lwyddodd i sefyll ar ei draed. Wedyn dechreuodd gerdded o gwmpas, yn sigledig ar y dechrau, er mwyn cyflymu rhediad y gwaed yn ei gorff. Cyn bo hir fe deimlai'n ddigon cryf i fynd i chwilio am y Ledi Eluned. Nid oedd ond clawdd bach isel yr ochr arall i'r ffordd, ac yna'r coed trwchus. Sylweddolodd Twm ar unwaith y gallai'r Ledi Eluned fod wedi dod allan i'r ffordd yn nes ymlaen, a dal y goets heb yn wybod i'r lladron. Ar y llaw arall fe allai fod wedi crwydro yn ei dychryn ymhell i berfeddion y coed. Gwyddai mai gobaith gwan oedd ganddo am ddod o hyd iddi beth bynnag.

Cerddodd i mewn i'r coed. Er fod y glaw wedi peidio, disgynnai diferion mawr arno yn awr ac yn y man o'r canghen-nau gwlybion uwch ben. O dan ei draed yr oedd sypiau gwlyb o ddail yr hydref.

Gwaeddodd ei henw, ac arhosodd am dipyn i wrando a oedd rhywun yn ateb. Ond ni thorrodd dim ar y distawrwydd. Cerddodd yn ddyfnach i'r goedwig gan ddal i weiddi yn awr ac yn y man.

Aeth amser heibio, ac o edrych i fyny i'r awyr, gwelodd Twm fod y sêr wedi gwelwi. Yr oedd y wawr yn torri ! Rhaid ei fod wedi bod yn gorwedd am amser hir ar y ffordd ! Canodd un aderyn unig yn rhywle ymhell yn y coed. Dechreuodd Twm ei daith yn ôl i gyfeiriad y ffordd fawr. Yna clywodd sŵn nant fach yn sisial yn rhywle heb fod ymhell, ac aeth i chwilio amdani. Fe'i cafodd mewn pant bychan caregog a gorweddodd ar y dail gwlybion i dorri ei syched. Llithrodd dwy neu dair deilen grin heibio i'w wyneb tra'r oedd yn yfed.

Pan gododd ar ei draed gwelodd hen adfail wrth ymyl y nant dipyn yn is i lawr. Aeth ato, a gwelodd fod to'r hen dŷ wedi cwympo bron i gyd, ac eithrio un darn wrth y corn simnai. Edrychai'r hen le'n rhyfedd o drist a di-galon yng ngolau llwyd y bore.

Edrychodd Twm i mewn trwy un o'i ffenestri tyllog. A dyna lle'r oedd hi ! Gorweddai ar y llawr lleidiog yn union o dan y darn a oedd ar ôl o'r to. Ai cysgu yr oedd hi ? Pwysai ei phen ar hen foncyff garw o bren, ac roedd ei llygaid ynghau. Gallai Twm weld ei mynwes yn codi ac yn disgyn ; roedd hi'n anadlu'n llyfn, beth bynnag. Rhaid ei bod wedi dod o hyd i'r hen le yma yn ystod y nos wrth grwydro, meddyliodd.

Aeth i mewn trwy'r twll hirsgwar lle'r arferai'r drws fod. Yn awr gallai weld ei hwyneb yn gliriach. Yr oedd y bonet ffasiynol wedi dod yn rhydd, a syrthiai ei gwallt dros ei boch. Edrychai'n harddach nag erioed y funud honno, ac am dipyn ni allai Twm wneud dim ond syllu arni mewn syndod. Yna, fel pe bai'n synhwyro fod rhywun yn edrych arni, agorodd y Ledi Eluned ei llygaid. Edrychodd mewn dychryn ar yr wyneb barfog, du, â gwaed a llaid y ffordd wedi ceulo drosto i gyd. Mewn winc cododd ar ei thraed a chamu'n ôl yn erbyn mur yr hen dŷ. Edrychodd yn wyllt o'i chwmpas am le i ddianc neu am rywbeth i'w helpu i'w hamddiffyn ei hun.

"Peidiwch â dychryn," meddai Twm yn dawel, "fi sy' 'ma, Twm Siôn Cati."

"Twm !" Llithrodd ei enw dros ei gwefusau, fel pe bai'n gwrthod credu ei chlustiau, "Twm ! Ond . . ."

A'r eiliad nesaf, er mawr syndod iddo, yr oedd hi wedi rhedeg ato a rhoi ei dwy fraich yn dynn am ei wddf. Yna sylweddolodd Twm ei bod hi'n wylo'n hidl â'i phen ar ei ysgwydd.

"Twm," meddai, heb godi ei phen, "ewch â fi o'r lle ofnadw' 'ma. O, roedd arna' i ddychryn bod yn yr hen le 'ma neithiwr . . . a'r glaw a'r gwynt . . . rown i'n meddwl nad oedd hi ddim yn mynd i ddyddio byth mwy . . . rown i wedi blino . . . a rhaid 'mod i wedi cysgu ar y bore." Âi ymlaen ac ymlaen, a thrwy'r amser daliai Twm hi'n dyner yn ei freichiau. Deuai arogl ei gwallt i'w ffroenau. Ni allai ddweud dim. Fel arfer, yng

nghwmni gwraig ifanc plas y Dolau, fe deimlai'n rhy swil i
agor ei geg bron.

Yn sydyn cododd ei phen i edrych arno, ac roedd ei llygaid
yn loyw gan ddagrau.

"Twm, sut . . . ? O ble daethoch chi ? Sut y gwyddech chi
mod i . . . ?"

"Roeddwn i'n teithio ar y goets neithiwr. Welsoch chi
mohono' i ?"

Ysgydwodd ei phen. "Ond be' sy' wedi digwydd i chi ?
Pam na fuasech chi wedi talu'r ddyled i Syr John ? Fe ges i
lythyr."

Edrychodd Twm yn anesmwyth. Oherwydd iddo aros un
diwrnod yn Henffordd i redeg ras â'r gaseg, yr oedd wedi
achosi'r holl drwbwl yma i'r Ledi Eluned. Ysai am gael dweud
yr helynt i gyd wrthi'r funud honno, ond roedd y stori'n un
mor hir ac mor gymhleth, ac fe deimlai yntau mor swil â'r
llygaid mawr duon yn ei wylio.

"Wel . . . y . . ." Ni wyddai Twm ble i ddechrau.

"Wel ?" meddai hithau, gan ymryddhau o'i freichiau a
chilio'n ôl lathen.

"Fe gollais y perlau," meddai Twm o'r diwedd.

"Twm ! Ymhle ?"

"Yn Henffordd."

"Ond sut, Twm ? Beth ddigwyddodd ?"

"Roeddwn i'n cerdded i lawr stryd gefn yn Henffordd pan
ymosododd dau ddyn arna' i."

"O ! Ond beth oeddech chi'n 'i 'neud mewn stryd gefn yn
Henffordd, Twm ?"

"Roeddwn i wedi aros diwrnod yno i rasio'r gaseg . . . roedd
ras yn Henffordd y diwrnod hwnnw."

"O ?"

Edrychai Twm fel hogyn bach wedi ei ddal yn dwyn afalau
yn y berllan.

"Roeddwn i wedi meddwl . . ."

"Na peidiwch â dweud un gair arall."

"Ond . . ."

"Na, mi alla' i ddychmygu'r gweddill am y tro. Mae trwbwl
yn eich dilyn chi, Twm, fel gwenyn ar ôl mêl."

Yn sydyn fe deimlai'n hapus. Gwyddai yn awr ei bod wedi

amau Twm ar gam. Gwyddai hefyd nad colli'r perlau oedd wedi bod yn pwyso mor drwm ar ei meddwl, ond yr ofn fod Twm wedi gwneud twyll â hi. A dyma fe yn awr wedi ymddangos yn sydyn ac yn wyrthiol yn y lle dieithr yma, yn edrych fel bwgan brain â gwaed ar ei wyneb i gyd.

"Mae 'na glwyf ar eich talcen chi, Twm. Beth ddigwyddodd i chi ?" gofynnodd.

"Fe geisiais i sefyll o flaen y lleidr penffordd pan oedd e'n rhedeg ar eich ôl chi, ac fe gollodd 'i amynedd braidd."

Edrychodd y Ledi Eluned yn dyner arno, â'i llygaid yn llaith. Unwaith eto yr oedd e wedi peryglu ei fywyd i'w hamddiffyn hi ! Aeth ato'n gyflym a'i gusanu ar ei foch. Yna rhedodd allan o'r hen dŷ i guddio'r ffaith ei bod hi'n gwrido. Am ennyd safodd Twm yn stond ar ganol y llawr. Yna lledodd gwên fawr dros ei wyneb ac aeth allan ar ei hôl. Yr oedd hi wedi mynd beth ffordd drwy'r coed erbyn hyn, a bu rhaid i Twm redeg i'w dal. Ond erbyn iddo ei dal yr oedd yr hen swildod wedi dod yn ôl ac ni allai ddweud dim wrthi.

Cyd-gerddodd y ddau drwy'r coed am dipyn heb ddweud yr un gair wrth ei gilydd. Yna cydiodd côt deithio'r Ledi Eluned mewn drysïen.

"Gadewch i mi eich helpu . . . mei Ledi," meddai Twm.

"O, chi a'ch ' Mei Ledi ' !" meddai hithau'n ddi-amynedd, "fe wyddoch chi'n iawn mai Eluned yw fy enw i." Yna yr oedd hi'n gwrido unwaith eto. Fe geisiodd gerdded ymaith, ond daliai'r ddrysïen ei gafael, ac ni allai symud er tynnu ei gorau. Yna clywodd y ddau frethyn y got yn rhwygo, a'r eiliad nesaf yr oedd y Ledi Eluned wedi syrthio i'r llawr. Cododd Twm hi ar ei thraed a gwelodd ei bod yn chwerthin. Cymerodd hi yn ei freichiau.

"Eluned," meddai, "pan awn ni adre i Dregaron . . ."

Ond gwingodd hi o'i afael. "Pan fyddwch chi wedi eillio'r farf ofnadwy 'na, Twm." Ac yr oedd hi'n chwerthin eto.

TAFARN Y "BULL" YN HOUNSLOW

Law yn llaw y daeth Twm Siôn Cati a'r Ledi Eluned Prys allan o'r coed i'r ffordd fawr, ac er fod y ddau'n teimlo'n flinedig ar ôl profiadau rhyfedd y noson gynt, ni cherddodd dau hapusach erioed y ffordd honno tua dinas Llundain. Erbyn hyn cawsai Twm gyfle i adrodd yr hanes am y cyfan a ddigwyddasai iddo er pan adawodd Dregaron ar gefn y gaseg ddu â'r rhaff berlau yn leinys ei wasgod. Pan ddeallodd y Ledi Eluned fod perygl iddo gael ei ddal eto gan Redwyr Bow Street, ffugiodd edrych yn drist.

"Wel," meddai, "fe fydd rhaid i ni ddioddef y farf draenog 'na eto am dipyn rwyn ofni ! Os methais i â'ch nabod chi yn y farf yna, 'dyw hi ddim yn debyg y bydd Rhedwyr Bow Street yn gwneud. Er—cofiwch chi—fe ddylai pob un sy'n cadw barf felna gael blwyddyn o garchar ! O leiaf !"

Chwarddodd y ddau. Yr oedd Twm yn hapus pan oedd hi'n tynnu ei goes fel hyn.

Cerddodd y ddau'n frysiog ar hyd y ffordd leidiog. Nid oeddynt wedi gweld undyn byw eto. Daeth yr haul i'r golwg dros ysgwydd y bryn, a meddyliodd y Ledi Eluned fod amser maith er pan welodd hi'r haul yn codi mewn awyr glir o'r blaen. A oedd yn arwydd fod ei gofidiau drosodd ac fod amser gwell ymlaen ?

Yna clywodd y ddau sŵn carnau ceffyl tu ôl iddynt, a daeth cerbyd ysgafn, cyflym i'r golwg heibio i'r tro. Yn y cerbyd eisteddai un dyn â het gorun uchel ar ei ben. Camai'r ceffyl yn uchel ac yn falch, fel pe bai'n ddig wrth y llaid ar y ffordd o dan ei draed.

Fel yr oedd y cerbyd yn nesáu, trodd Twm a chodi ei law.

"Wo-ho ! Brown !" gwaeddodd y gyrrwr, a stopiodd y ceffyl yn eu hymyl gan ddawnsio yn ei unfan a thynnu'n ddiamynedd wrth y ffrwyn dynn.

Hen ŵr trwsiadus yr olwg â barf wen, bigfain yn cuddio hanner ei wyneb, oedd y gyrrwr. Edrychodd ar Twm a'r Ledi

Eluned am funud heb ddweud yr un gair, â'i lygaid bach byw
yn sylwi ar bopeth. Gwelodd Twm ei fod yn cadw un llaw y
tu mewn i'w got, a gwyddai fod bysedd yr hen ŵr ar bistol.

"Wel ?" meddai'r gyrrwr o'r diwedd, "Jack Hokey,
masnachwr o Windsor, at eich gwasanaeth."

"Roeddem ni yn y Goets neithiwr pan ymosododd dau leidr
penffordd arni . . . roeddem ni ar ein ffordd i Lundain . . .
Fe lwyddodd y ddau ohonom ni i ddianc."

Ni wyddai Twm yn iawn faint o'r stori i'w hadrodd wrth y
dyn dieithr. Ond nid oedd angen iddo ddweud rhagor.

"Wel, wel," meddai Mr. Hokey, "fe fuodd 'na ymosodiad ar
y Goets neithiwr wedyn do fe ? Mae'n ddrwg gen i glywed.
Rwyn mynd cyn belled â Hounslow, ac mae croeso i chi deithio
yn y cerbyd 'ma. Yn wir, rwyn mynd i bwyso arnoch chi
deithio yn y cerbyd 'ma. Mi fydda' i yn Hounslow ymhen
chwarter awr."

Estynnodd ei law i'r Fonesig Eluned.

"Ma'am."

"Diolch i chi, syr," meddai gan gydio yn ei law a neidio i
fyny i'r cerbyd, "roeddwn ni wedi blino."

"Tewch â sôn, Ma'am. Nid yn amal y bydd Brown a finne'n
cael cyfle i gario boneddiges ifanc mor hardd, os maddeuwch i
mi am ddweud hynny, Ma'am. Chi, syr, neidiwch i fyny tu ôl
os gwelwch chi'n dda."

Yna cychwynnodd y cerbyd tua Hounslow. Ar y ffordd
mynnodd Mr. Hokey gael hanes y noson gynt yn llawn gan y
Ledi Eluned. Edrychodd yr hen ŵr gydag edmygedd ar
Twm pan glywodd am y ffordd y safodd o flaen y lleidr pan
oedd y Ledi Eluned yn ceisio dianc.

"Rŷch chi wedi cael profiad ofnadwy, Ma'am," meddai, ar
ôl iddi orffen. "Rwyn mynd i awgrymu yn awr, Ma'am, os ca'
i fod mor hy, eich bod chi'n dod gyda mi i westy'r "Bull" yn
Hounslow. Dyna'r unig westy gwerth yr enw yn y dre, Ma'am.
Brawd a chwaer sy'n cadw'r lle—Sam a Mary Hinds. Fe
gewch chi bob gofal yno, fe gymraf fy llw."

Ar y gair yr oedd y ceffyl coch yn camu'n uchel dros heol
wedi ei phalmantu â cherrig, a chadwai ei garnau sŵn pert
wrth fynd heibio i dai digon tlawd yr olwg ar bob ochr.

"Dyma ni yn Hounslow," meddai Mr. Hokey, "twll o le os

bu un erioed Ma'am, os caf fi ddweud hynny. Lle tlawd, Ma'am, yn llawn lladron. Rwy' am eich rhybuddio chi i fod ar eich gwyliadwriaeth tra byddwch chi yma."

Yn fuan iawn yr oedd y ceffyl coch wedi sefyll o flaen hen dafarn ag eiddew ar ei furiau i gyd. Uwch ben y drws ar ddarn o bren sgwâr siglai llun pen tarw du yn y gwynt.

"Sam ! Mary ! Sam !" gwaeddodd Mr. Hokey o flaen y drws, a chyn bo hir daeth merch ifanc fochgoch i'r golwg o gefn y dafarn â basgedaid o wyau ffres yn ei llaw.

"Mr. Hokey ! Oes rhywbeth o le Mr. Hokey, syr ?"

"Oes mae e, Mary, nghariad i. Fe ymosododd lladron penffordd ar y Goets neithiwr, ac mae dau o'r teithwyr gyda fi fan hyn. Rwy' am i chi wneud y gore iddyn' nhw Mary : maen' nhw wedi bod allan yn y glaw drwy'r nos."

"Wrth gwrs, Mr. Hokey. Roedd Sam wedi clywed si fod lladron wedi ymosod ar y goets neithiwr."

Roedd yr hen ŵr wedi disgyn yn wisgi o'r cerbyd erbyn hyn.

"Ma'am ?" Estynnodd ei law'n foesgar i dderbyn Ledi Eluned i lawr o'r cerbyd, yna estynnodd ei fraich i'w harwain i mewn i'r dafarn. Derbyniodd hithau gymorth ei fraich gan fowio iddo yr un mor foesgar, a cherddodd y ddau i mewn i'r dafarn. Aeth Twm ar eu holau. Ond yr oedd Mary wedi mynd i mewn drwy'r drws o flaen yr un ohonynt, a phan ddaethant i mewn i'r gegin wag yr oedd hi wrthi'n procio'r tân, er fod hwnnw'n edrych yn ddigon siriol yn barod. Wedyn daeth Sam Hinds i mewn o'r cefn â'i ddillad yn wellt i gyd. Un bochgoch yr un ffunud â'i chwaer oedd yntau hefyd, a'i wyneb yn grwn fel pêl.

"Bore da Mr. Hokey, syr." Yna gwelodd y dieithriaid ac edrychodd braidd yn syn.

"Sam," meddai Mr. Hokey, "mae eisie dillad sychion ar y gŵr bonheddig yma. Weli di, mae e'n wlyb domen ! Os bydd e un funud arall yn y dillad yma fe fydd rhyw dwymyn yn siŵr o gydio ynddo. Nawr, elli di roi benthyg rhywbeth iddo i wisgo ?"

"Wrth gwrs, Mr. Hokey." Yna, gan droi at Twm, "Dewch gyda fi, syr."

Edrychodd Twm ar y Ledi Eluned. Gwelodd Mr. Hokey ef.

"Fe fydd Mary'n gofalu amdani hi," meddai.

Aeth Twm gyda Sam Hinds i fyny'r grisiau ; ac o gwpwrdd
yn ei ystafell wely tynnodd Sam ei siwt frethyn llwyd orau, a'i
gosod ar y gwely. O'r drôr yng ngwaelod y cwpwrdd tynnodd
grys gwlanen newydd.

"Ond fedra i ddim gwisgo'r rheina !" meddai Twm.

"Gwisgwch nhw ar unwaith, syr, os gwelwch yn dda."

"Ond dyma dy ddillad gore di !"

"Gwisgwch nhw ar unwaith, syr, neu fe fydd Mr. Hokey..."

"Sam !" gwaeddodd y gŵr bonheddig hwnnw o'r llawr.

"Esgusodwch fi, syr, mae Mr. Hokey'n galw. Fe fydd
brecwast yn barod erbyn dowch chi lawr."

"Ond . . .", dechreuodd Twm, ond yr oedd Sam wedi di-
flannu drwy'r drws.

Ysgydwodd Twm ei ben, yna gwenodd wrtho'i hunan.
Gwelodd siwg a phadell yng nghornel yr ystafell ac wedi
edrych gwelodd fod dŵr glân yn y siwg. Daeth o hyd i ddarn o
sebon, a'r peth cyntaf a wnaeth oedd golchi'r llaid a'r gwaed
oddi ar ei wyneb. Uwch ben y bwrdd yr oedd drych bychan a
hwnnw wedi cracio. Ond gallai Twm weld ei lun yn weddol
glir ynddo. Fe gafodd dipyn o sioc wrth weld yr olwg wyllt a
oedd arno. Tynnodd ei fysedd trwy ei farf arw, a theimlodd na
allai wynebu'r Ledi Eluned na neb nes cael gwared ohoni.
Wedi edrych sylwodd fod drôr i'r bwrdd, a phan agorodd
hwnnw gwelodd rasal loyw'n gorwedd ar ei waelod. Tynnodd
hi allan. Wedyn cofiodd fod y farf yn dieithrio'i wyneb i'r
fath raddau nes ei gwneud yn amhosib bron i neb ei adnabod.
A oedd hi'n ddiogel i'w thorri ? Yna edrychodd arno'i hunan
yn y drych unwaith eto, a gwyddai y byddai'n well ganddo
wynebu unrhyw berygl o dan haul nag wynebu'r Ledi Eluned
eto heb eillio.

Rhwbiodd dipyn o ddŵr a sebon yn ei farf. Yna, gan dynnu
wynebau ofnadwy arno'i hunan yn y drych, dechreuodd
dorri'r tyfiant hyll.

Fe deimlai'n ddyn newydd wrth gerdded i lawr y grisiau â
siwt gynnes Sam Hinds amdano. Daeth y gwres yn ôl i'w gorff
a theimlai'n fwy calonnog o lawer. Wrth fynd i mewn i'r gegin
daeth arogl hyfryd cig moch yn ffrio i'w ffroenau. Safai Mr.
Hokey â'i gefn at y tân, ond nid oedd sôn am neb arall. Yna
daeth y Ledi Eluned a Mary Hinds i mewn i'r ystafell. Y Ledi

Eluned â chapan gwyn, crwn Mary am ei phen, a gŵn ddu blaen Mary amdani ! Edrychodd Twm yn syn arni. Nid y foneddiges grand oedd hi yn awr, ond merch gyffredin, gartrefol. Ond i lygaid Twm y funud honno edrychai'n harddach nag erioed. Edrychodd hithau'n syn arno yntau.

"Wel, wel ! Mae'r gŵr gonheddig wedi eillio'i farf, Mr. Hokey !"

"Ac mae hynny'n welliant mawr os ca' i ddweud hynny, syr," meddai'r gŵr bonheddig hwnnw, "yn welliant amlwg, syr."

"Ydych chi o'r un farn, Ma'am ?" gofynnodd Twm, gan wenu. Fe deimlai'n llawer mwy cartrefol yng nghwmni'r Eluned yma yn nillad merch gyffredin.

"Dwy' i ddim yn siŵr," meddai hithau, gan ddal ei phen ar dro, a ffugio edrych yn feirniadol drosto i gyd, "roedd y farf yn edrych yn . . . y . . . urddasol, ŷch chi ddim yn meddwl Mr. Hokey ?"

"Harŵmff !" meddai hwnnw yn ei farf wen.

Yna daeth Sam i'r drws â'i wyneb yn loyw gan chwŷs ac yn goch fel tân.

"Mae brecwast yn barod, Mary, os doi di . . ." Ond cyn iddo orffen yr oedd Mary wedi rhedeg i'r gegin gefn.

TWM YN CYSGU

EISTEDDAI'r Ledi Eluned a Twm o flaen y tân yng nghegin gynnes y "Bull". Dawnsiai'r fflamau o gwmpas y ddau foncyff onnen mawr yn y grat llydan, hen-ffasiwn. Yr oedd yn un-ar-ddeg o'r gloch y bore.

"Gobeithio fod Neli'n iawn, beth bynnag," meddai'r Ledi Eluned. "Charwn i ddim i unrhyw niwed ddigwydd iddi."

"Os oedd hi'n gwybod cyfeiriad eich ffrind yn Llundain, mae'n debyg 'i bod hi yno erbyn hyn."

"Gobeithio 'i bod hi beth bynnag. Mi fydda' i'n falch pan ddaw'r goets i fynd â ni i Lundain, i fi gael gweld drosof fy hunan."

"Ddaw'r goets ddim am ddwyawr eto," meddai Twm. "Un o'r gloch ddwedodd Sam ontefe ?"

"Ie."

Bu distawrwydd rhyngddynt wedyn am dipyn. Gallai'r ddau glywed sŵn cerbydau'n mynd heibio ar y briffordd tu allan, a theimlai Twm y byddai'n dda ganddo gael aros yn y fan honno am byth. Roedd cegin y "Bull" mor gynnes—mor dawel.

"Beth ŷch chi'n mynd i'w wneud pan gyrhaeddwn ni Lundain, Twm ?"

Ysgydwodd Twm ei ben.

"Wn i ddim yn iawn beth i'w wneud gynta'. Fe garwn i ddod o hyd i Syr Philip i weld beth yw hanes y gaseg. Ond wn i ddim sut y mae cael gafael ynddo. Rwyn meddwl mai'r peth cynta' wna 'i fydd mynd i weld Syr John Sbens . . . efalle fod Syr Philip wedi bod yn 'i weld e erbyn hyn. Wedyn fe fydd rhaid i fi fynd i edrych am Quinn."

Edrychodd y Ledi Eluned yn ofidus arno.

"Ŷch chi ddim yn meddwl y bydde hi'n well i ni fynd adre i Dregaron cyn gynted ag y byddwn ni wedi setlo'n busnes â Syr John—ar ôl i chi ddod o hyd i'r gaseg ?"

Sylwodd Twm iddi ddweud "ni", a meddyliodd na fyddai dim yn well ganddo na mynd yn ôl i Dregaron gyda'r Ledi Eluned. Ond wedyn dechreuodd feddwl am yr hen Iddew hwnnw ar lawr y siop fawlyd yn y stryd gefn yn Henffordd, ac am y carchar a oedd yn ei aros os byth y deuai'r awdurdodau o hyd iddo. Gwyddai y byddai'r ffaith iddo ddianc o'r carchar yn dweud yn 'i erbyn os deuai i'r ddalfa eto. A rywfodd neu 'i gilydd, fe deimlai Twm yn siŵr fod Quinn yn gwybod pwy oedd wedi lladd yr Iddew. Onid oedd e wedi dweud wrth ei gyfaill (pwy bynnag oedd hwnnw) ei fod yn bwriadu mynd â'r perlau i'w gwerthu i Amos Cohen ?

"Fe ddylai fod yn weddol hawdd dod o hyd i Quinn," meddai Twm yn uchel, "fe wn i nawr mai gwas Syr Henry Mortimer yw e. A rhaid fod digon o bobl yn nabod hwnnw."

"Ie, ond beth wedyn Twm ?"

Trodd Twm ei ben i edrych arni. Yr oedd ei llygaid duon yn llawn pryder.

"Rwyn ofni mai dechre rhagor o drwbwl a gofid fydd dod o hyd i'r dyn Quinn 'ma, Twm."

Y funud honno daeth Mary i mewn o'r cefn.

"My Lady," meddai, a dyna i gyd, gan sefyll yn swil yn y drws. Trodd y Ledi Eluned ei phen.

"O, o'r gore, Mary, diolch," meddai, gan godi o'i chadair wrth y tân a diflannu i'r cefn gyda Mary.

Beth oedd yn mynd ymlaen, meddyliodd Twm. Ymhen tipyn bach cododd ar ei draed ac aeth yn ddistaw i'r drws oedd yn arwain i'r cefn. Gwelodd y Ledi Eluned yn sefyll wrth fwrdd mawr ar ganol y llawr. Ar y bwrdd yr oedd ei gŵn felfed las. Yn ei hymyl safai Mary a haearn smwddio mawr yn ei llaw. Aeth Twm yn ôl yn ddistaw i eistedd wrth y tân. Bu'n eistedd yno'n hir yn meddwl am lawer o bethau, yna daeth syrthni drosto a chysgodd yn drwm.

Dihunwyd ef gan law ysgafn ar ei ysgwydd. Trodd ei ben a gwelodd Mary'n sefyll yn ei ymyl, a thu ôl iddi—y Ledi Eluned.

"Eich dillad chi", meddai Mary, gan gyfeirio at y gadair wag yn ei ymyl. Ar fraich y gadair gwelodd ei ddillad. Ai ei ddillad ef oeddynt ? Bu rhaid iddo edrych eilwaith oherwydd yr oedd y rhain yn lân ac wedi eu smwddio i edrych bron cystal â newydd.

"Diolch Mary," meddai, "yr ŷch chi wedi gwneud gwyrthiau
â'r hen siwt yna."

Ond ysgydwodd Mary ei phen. "Na nid fi syr, nid fi . . ."

Trodd Twm i edrych ar y Ledi Eluned. Gwelodd ei bod yn
gwrido ac yn gwenu yr un pryd. Bu pawb yn ddistaw am eiliad.

"Fe fydd y goets yma mewn chwarter awr," meddai'r Ledi
Eluned o'r diwedd.

CYRRAEDD LLUNDAIN

"ELUNED !"

"Megan !"

Yr oedd Twm a'r Ledi Eluned wedi cyrraedd y tŷ mawr yn ymyl yr Haymarket yn Llundain. Cyn gynted ag yr agorwyd y drws gan y forwyn rhuthrodd Mrs. George Courteney, neu Megan Tŷ Glyn, i gofleidio ei hen ffrind o Giliau Aeron.

"Eluned, rwyf wedi bod yn gofidio amdanat ti. Rwyf wedi bod ar bigau'r drain er pan gyrhaeddodd y forwyn fach—Neli —gyda'r goets y bore 'ma. Dere mewn i'r ystafell yma i fi gael clywed yr hanes i gyd. Roeddwn i'n meddwl yn iawn fod rhywbeth ofnadw' wedi digwydd i ti. A 'doedd George ddim yma . . . wyddwn i ddim beth i'w wneud. Rwy' wedi bod yn rhedeg o gwmpas ers orie, yn holi hwn a'r llall ac yn ceisio dod o hyd i George, ac yn y diwedd 'doeddwn i ddim wedi gwneud dim a allai fod o help. Ond rwyt ti'n edrych yn iawn—dim tamaid gwaeth. Pe bai rhywbeth wedi digwydd i ti fe fyddwn i'n gwneud i George ymuno â Rhedwyr Bow Street, a châi e ddim gorffwys nes bydde fe wedi lladd pob lleidr pen-ffordd yn y wlad."

Tra'n gwrando ar y ffrwd yma o eiriau yr oedd Twm a'r Ledi Eluned wedi dilyn Mrs. George Courteney i mewn i ystafell eistedd eang â charpedi esmwyth ar ei llawr i gyd.

"Rhaid i ti eistedd fan hyn yn ymyl y tân Eluned. Cofia rwy' am glywed pob mymryn bach o'r hanes . . ." Stopiodd yn sydyn ac edrychodd ar Twm fel petai'n ei weld am y tro cyntaf. Trodd oddi wrth Twm at y Ledi Eluned â'i dwy ael yn ddau gwestiwn mawr.

Ni ddywedodd honno ddim am eiliad. Roedd hi am ddweud mai hwn oedd y gŵr ifanc yr oedd hi wedi'i ddewis yn hytrach nag etifedd Plas Ffynnon Bedr, a'i fod yn bwriadu ei briodi cyn gynted ag y cyrhaeddent yn ôl yn Nhregaron. Ond sut y gallai hi ddweud hynny yng nghlyw Twm ? Felly am eiliad neu ddwy ni wnaeth ddim ond gwrido ac edrych i'r tân. Ac am eiliad neu ddwy yr oedd y tri ohonynt yn meddwl eu meddyliau eu hunain. Sylwodd Megan ei bod hi'n gwrido a meddyliodd,

"Wel, wel ! Mae hi'n caru'r dyn ifanc, tal, gwallt tywyll 'ma ! Pwy all e' fod ? Mae e'n edrych yn ddigon cyffredin 'i wisg hefyd ?"

"Pam na ddwed hi pwy ydw i ?" meddai Twm wrtho'i hunan. Ac yn sydyn meddyliodd fod cywilydd arni ei arddel yn awr o flaen ei ffrindiau cyfoethog yn Llundain. Fe'i gwelodd eto yn nillad Mary Hinds yn nhafarn y "Bull" yn Hounslow. Bryd hynny roedd hi mor gyffredin ag yntau. Ond yn awr, â'i gŵn felfed las amdani unwaith eto, a'r dodrefn costus yma o'i chwmpas yn y tŷ mawr yn ymyl yr Haymarket, gwelodd Twm fod yna fwlch mawr rhyngddynt, a theimlodd iddo fod yn ffôl iawn i feddwl am ei chael yn wraig.

"Twm Siôn Cati yw hwn Megan, o Dregaron. Fe achubodd 'y mywyd i neithiwr."

Roedd y Ledi Eluned wedi dod o hyd i'w thafod o'r diwedd ! Ond yr oedd Mrs. Courteney wedi dechrau siarad eto. Gan edrych yn graff ar Twm dywedodd, "Hym, fe fydd e'n siŵr o dynnu sylw'r merched i gyd yn y wledd ym mhlas Lord North heno, Eluned. Mae bechgyn tal tywyll yn ffasiynnol iawn yn Llundain y dyddiau hyn. Hym, fe fydd rhaid i ni gael dillad craill iddo wrth gwrs. Nawr arhoswch chi . . ."

"Fe wna'r dillad yma'r tro'n iawn i mi, Mrs. Courteney. Beth bynnag 'dwy' ddim yn bwriadu mynd i unrhyw wledd heno."

"Na finne chwaith", meddai'r Ledi Eluned.

Cododd Mrs. Courteney ei haeliau yn uchel iawn.

"Ond, cariad ! Fe fydd pawb—bydd pawb—ym mhlas Lord North heno ! Dyna lle mae George druan, er saith o'r gloch y bore 'ma, yn trefnu ar gyfer y ' Ball ' flynyddol. Fe wyddost wrth gwrs, Eluned mai Lord North yw'r Prif Weinidog ?"

Gwenodd y Ledi Eluned. "Wrth gwrs."

"Wel, dyna ti 'te. A wyddost ti mai George yw 'i Ysgrifennydd Preifat e ? Druan ag e, mae cyfrifoldeb mawr ar 'i ysgwydde fe. Neithiwr y daeth Lord North yn ôl o'r wlad, ac mae'r trefniade i gyd wedi disgyn ar ysgwydde George. Eisteddwch fan hyn Twm Sion Cati, pam rŷch chi'n mynnu aros ar eich traed fanna ? Rwyn hoffi gweld pobol yn 'u gneud 'u hunain yn gartrefol yn y tŷ 'ma."

Eisteddodd Twm gyferbyn â'r Ledi Eluned.

"Ac fe fydd pawb sy'n rhywun yn Llundain yna heno, gewch chi weld. Rhaid i chi fynd i orffwys tipyn prynhawn 'ma. Rwy' am i ti, Eluned edrych dy ore heno."

Yr oedd y Ledi Eluned ar fin dweud unwaith eto na fyddai hi ddim yn mynd i'r wledd pan dorrodd Twm ar ei thraws.

"Ydych chi'n nabod Syr Henry Mortimer, Mrs. Courteney?" Stopiodd y ddynes fach siaradus ar ganol y llawr.

"Syr Henry Mortimer ?   Arhoswch chi, mae'r enw'n gyfarwydd, ond fedra' i ddim cofio ar y funud. Ond fe fydd George yn 'i nabod e, gewch chi weld. Mae George yn nabod pawb. Wyddost ti Eluned, mae bod yn wraig i Ysgrifennydd Lord North yn 'y ngwneud i yn ferch go bwysig yn Llundain cofia. Pan gyrhaeddodd dy forwyn di bore 'ma fe es i ar unwaith i Bow Street i roi'r Rhedwyr ar waith i edrych am-danat ti. Doedd 'na neb yn cymryd fawr o ddiddordeb nes i fi ddwed pwy oeddwn i ; ond y funud y deallon nhw mai gwraig George Courteney oeddwn i fe addawodd dau ohonyn nhw fynd ar unwaith i edrych mewn i'r mater. Ond fel digwyddodd hi roedd gennyt ti rywun gwell o lawer i edrych ar dy ôl di." A gwenodd ar Twm.

"Syr Philip Townsend ?" gofynnodd Twm, "ÿch chi'n nabod hwnnw ?"

"Syr Philip Townsend sy'n berchen stâd lawr tua Hen-ffordd ?"

"Ie."

"Ydw. Mae ganddo fe dŷ yma yn rhywle—yn Hanover Square ? Ie, rwyn siŵr mai fanny mae e'n byw pan fydd e yn Llundain."

Yna clywsant gloch y drws yn canu, a sŵn traed un o'r morynion yn cerdded tuag ato i'w agor.

"O dier ! Pwy sy' 'na nawr 'to ? Efalle fod George wedi dod nôl ! Fe fydd e'n falch dy weld di Eluned. Meddylia mai ar ddydd y briodas y gwelsoch chi'ch gilydd ddiwetha !"

Yna agorodd drws yr ystafell a daeth y forwyn i mewn.

"Y ddau ddyn o Bow Street Ma'am !" A cherddodd dau ddyn mewn dwy wasgod goch i mewn i'r ystafell. Yr oedd un ohonynt yn dal ac yn denau, ac wrth ei arddwrn yr oedd ffon fer drwchus. Stevens ! Toby Stevens !

Trodd Twm ei wyneb at y tân. A oedd y dyn ofnadwy wedi ei adnabod ? Beth oedd e'n 'i wneud yma ? A oedd rhywun wedi dweud wrth y Rhedwyr ei fod ef wedi cyrraedd y tŷ yma ! Clywodd Stevens yn dweud,

"Ma'am, mae'n ddrwg gen i ddweud nad y'n ni ddim wedi llwyddo i ddod o hyd i'r foneddiges, ond mae gen i beth gwybodaeth, ma'am . . . d'yn ni ddim wedi bod yn chwilio'n ofer. Mae'n debyg . . ."

"Ond mae wedi cyrraedd !" Torrodd Mrs. Courteney ar ei draws. "Mae wedi cyrraedd yn ddiogel, ac yn ddianaf, diolch i'r gŵr bonheddig yma." Cyfeiriodd at Twm a oedd yn edrych yn daer i'r tân.

"A !" Llais Stevens eto, "yr oeddech chi'n ffodus, Ma'am, i ddianc o afael Tom Dorbell heb golli'ch eiddo."

"Tom Dorbell oedd e ?" gofynnodd Mrs. Courteney.

"Ie, rwyn meddwl fod hynny tu hwnt i unrhyw amheuaeth, Ma'am."

"Wel, rhaid i chi addo i mi y byddwch chi'n dal y gwalch mor fuan ag sy'n bosib. Ŷch chi'n addo ?"

"Fe wnawn ni'n gore, Ma'am. Gobeithio y byddwch chi'n sicrhau Mr. Courteney ein bod ni'n gwneud ein gore."

"Wrth gwrs."

"Ac yn awr, Ma'am, os nad yw hi'n anghyfleus, fe garem ni glywed tystiolaeth y foneddiges a'r gŵr bonheddig yma."

"Wrth gwrs. Ac mi fydda' inne'n eistedd fan yma'n ddistaw bach i wrando ar bob gair."

Diolch yn fawr, Ma'am," meddai Stevens. "Yn awr, chi, syr, yn gyntaf os gwelwch yn dda."

Gwyddai Twm fod y cyfan ar ben. Am eiliad meddyliodd mai'r peth gorau i'w wneud fyddai rhuthro am y drws. Ond roedd y tŷ yma'n ddieithr iddo a'r drysau ynghau, a hyd yn oed pe bai'n gallu dianc o'r tŷ, y tu allan yr oedd dinas fawr a honno'n fwy dieithr fyth. Ond ni allai lai na theimlo'n ddig wrth y dyn Stevens yma â'i siarad mawreddog, a'i ffon wrth ei arddwrn.

Yn sydyn cododd ar ei draed a throdd i wynebu'r ddau Redwr. Yr oedd Stevens wedi agor ei geg fawr i ddweud rhywbeth pan welodd wyneb Twm. Safodd am eiliad â'i geg ar agor, a gwyddai Twm a'r Ledi Eluned hefyd, ei fod wedi ei adnabod ar unwaith. Deallodd y Ledi Eluned heb i neb ddweud yr un gair wrthi sut oedd pethau'n sefyll, a theimlodd ofn yn ei chalon.

Edrychodd Toby Stevens ar Mrs. Courteney, yna yn ôl ar Twm, a hawdd gweld ei fod mewn tipyn o benbleth. Wedyn gwenodd.

"Yr ydym ni wedi cwrdd o'r blaen, syr, rwyn meddwl . . ."

"Yn Henffordd," meddai Twm.

"Ie yn Henffordd. Mae'r amgylchiadau'n glir iawn yn fy meddwl i. Wel, Wel ! Ond yw'r byd yn lle bach wedi'r cyfan ?"

Trodd yn sydyn at Mrs. Courteney.

"Mae'n ddrwg gen i, Ma'am, ond mae pethau wedi newid. Mae'r gŵr bonheddig yma wedi dianc o garchar Henffordd lle'r oedd e'n aros 'i brawf yn y Frawdlys am lofruddiaeth. Mae'n ddirgelwch i mi sut y cyrhaeddodd e yma yn eich cartre chi, ond mae'n debyg iddo ddod i mewn trwy dwyll."

Neidiodd y fenyw fach siaradus ar ei thraed, ac edrychodd mewn dryswch a dychryn o un wyneb i'r llall.

"Ond . . . Eluned . . . beth yw ystyr hyn . . . Pam ?"

Am unwaith yn 'i bywyd 'roedd ei thafod wedi pallu. Yna yr oedd y Ledi Eluned ar ei thraed hefyd a'i llygaid yn fflachio.

"Mae e wedi 'i gyhuddo ar gam ! Mae e'n ddi-euog !" gwaeddodd.

Yna yr oedd pawb yn siarad ar draws ei gilydd. A'r funud honno cerddodd George Courteney i mewn i'r ystafell.

Edrychodd mewn syndod ar yr olygfa o'i flaen. Ynghanol y cyffro nid oedd neb wedi sylwi ei fod wedi cyrraedd. Symudodd y ddau Redwr yn nes at Twm a safai hwnnw'n herfeiddiol ar ganol y llawr yn disgwyl amdanynt.

"Beth gebyst sy'n mynd ymlaen 'ma ?"

Yr oedd y fath awdurdod yn llais George Courteney fel y tawelodd pob sŵn ar unwaith.

"Megan, beth sy' wedi digwydd ?" Yna sylweddolodd pwy oedd y ferch hardd yn yr ŵn felfed las.

"Eluned Morgan !" Aeth ymlaen ati a chydio yn ei dwy law. "Croeso i Lundain Eluned, ac i'n tŷ ni'n arbennig ! Ond

beth sy'n mynd ymlaen 'ma ? A fydd rhywun mor garedig ag
egluro i mi beth y mae'r ' Bow Street Runners ' yn 'i wneud yn
y tŷ 'ma ?"

Yna dechreuodd Mrs. Courteney grio. Aeth ei gŵr ati ar
unwaith a rhoi ei fraich am ei hysgwydd.

"Nawr, nawr cariad—be' sy' ?" meddai'n fwy tawel. Yna,
â'i phen ar ei ysgwydd dechreuodd ei wraig siarad trwy ei
dagrau.

"Roedd Eluned yn dod yma gyda'r goets neithiwr pan
ymosododd lladron penffordd . . ." Aeth y geiriau i golli am
dipyn ynghanol tipyn o snwffian. Ond yr oedd George
Courteney'n ddyn amyneddgar, ac o dipyn i beth fe gafodd y
stori'n weddol glir. Deallodd fod ei wraig wedi bod yn bryderus
iawn pan gyrhaeddodd morwyn Eluned a dweud yr hanes am
ei meistres yn diflannu i'r nos. Deallodd hefyd pam yr oedd
Rhedwyr Bow Street yno pan ddywedodd ei wraig iddi fynd ar
unwaith i ofyn am gymorth y rheiny i edrych am ei hen ffrind.

Yr oedd Mr. Toby Stevens wedi bod yn ysu ers amser am
gael dweud rhywbeth ac yn awr torrodd ar draws stori Mrs.
Courteney.

"Ond pan ddaethon ni yma, syr, i roi gwybod i Mrs.
Courteney nad oedden ni ddim wedi llwyddo i ddod o hyd i'r
foneddiges oedd ar goll, fe ddaethon ni ar draws y gŵr bon-
heddig yma—sydd yn ôl tystiolaeth a osodwyd ger bron yr
Ynadon yn Henffordd, yn euog o ladd Iddew o'r dref honno—
un o'r enw Amos Cohen. Roeddem ni yn Bow Street wedi cael
gwybodaeth o Henffordd 'i fod e wedi dianc o'r carchar, ond
'doedden ni ddim yn disgwyl 'i weld e yma, syr." Chwaraeai
hanner gwên wawdlyd o gwmpas gwefusau tenau Mr. Toby
Stevens a daliai i droi'r ffon fer am ei arddwrn.

Yr oedd yn gas gan George Courteney'r dynion yma â'u
gwasgodi cochion. Gwyddai eu hanes i'r dim. Gwyddai mai
Mr. Henry Fielding y nofelydd oedd wedi ffurfio'r "Bow Street
Runners" yn y lle cyntaf, pan oedd ef yn Ynad yn Llys Bow
Street, bron ddeng mlynedd ar hugain yn ôl. Clywsai i'r
Rhedwyr cyntaf wneud llawer iawn o waith da. Ond erbyn
hyn, gwyddai George Courteney fod rhai o Redwyr Bow Street
mor anonest â'r lladron gwaetha' yn Llundain. Ac wrth
edrych ar wyneb main Toby Stevens y funud honno gallai

gredu'n hawdd fod y dyn yma mor anonest â'r un ohonynt. Ac roedd George Courteney wedi cwrdd â digon o bobol o bob math erbyn hyn i fedru eu pwyso a'u mesur yn weddol gywir ar yr olwg gynta'.

Yna edrychodd yn graff ar Twm Siôn Cati. Yr oedd gan hwn wyneb agored braf. Doedd dim cyfrwystra tu ôl i'r llygaid duon yna meddyliodd George Courteney. Llofrudd ? Roedd hi'n anodd coelio. Efallai iddo ladd rhywun ar ddamwain, mewn sgarmes neu rywbeth. Ond nid mewn gwaed oer, fe gymerai lw. Ond, beth bynnag, nid ei fusnes ef oedd profi hwn yn euog neu'n ddi-euog. Gwaith y Frawdlys oedd hynny, ac roedd gan George ffydd yn y Gyfraith. Fe gâi bob chware teg. Ond roedd e wedi dianc o garchar—byddai hynny yn ei erbyn. Yn awr rhaid cael gwared o'r tri dyn dierth yma cyn gynted ag y bo modd, er mwyn iddo gael cyfle i siarad ag Eluned. Teimlai George yn falch iawn o'i gweld gan ei bod yn ei atgoffa am ddyddiau hapus iawn yng Nghiliau Aeron flynyddoedd yn ôl.

"Wel . . . y . . ." dechreuodd gan edrych eto ar y Rhedwr tal.

"Toby Stevens, at eich gwasanaeth bob amser Mr. Courteney, syr. A dyma Bert Wigg, syr."

"Syr," meddai'r ail Redwr gan fowio.

"Wel, Mr. Stevens a Mr. Wigg, rwyn ddiolchgar i chi am eich ymchwiliadau ynglŷn â'r foneddiges yma. Rwyn siŵr i chi wneud eich gore i ddod o hyd iddi. Ond nawr gan 'i bod hi wedi cyrraedd yn ddiogel, wela' i ddim bod angen i ni gadw rhagor o'ch amser chi."

Edrychodd Toby Stevens ar Twm, yna ar y Ledi Eluned ac yn ôl ar George Courteney.

"Ac mae rhyddid i ni fynd â'r gŵr bonheddig yma gyda ni, syr ?"

"Wrth gwrs, os yw e i ymddangos ger bron y Frawdlys yn Henffordd, fe fydd rhaid iddo ddod gyda chi."

"Na, George, rwyn erfyn arnoch chi," meddai'r Ledi Eluned.

"Ond Eluned !"

"George, rwy' am gael gair â chi mewn ystafell arall os gwelwch chi'n dda."

"O'r gore Eluned, ond . . ."

"Ac rwy' am ofyn i Mr. Stevens a Mr. Wigg aros yma nes down ni nôl, George."

Edrychodd George Courteney mewn tipyn o benbleth arni. "Arhoswch chi yma am funud neu ddwy foneddigion ?" gofynnodd. Ymgrymodd Toby Stevens, gan wenu.

"At eich gwasanaeth, syr. Gawn ni ddweud deng munud ?"

Aeth George Courteney at ddrws ym mhen draw'r ystafell a gwnaeth y Ledi Eluned arwydd ar ei wraig i ddod gyda hi. Wedi i'r tri ddiflannu trwy'r drws dechreuodd Toby Stevens gerdded o gwmpas yr ystafell.

"Ac roeddet ti wedi meddwl dianc oeddet ti ?" meddai wrth fynd.

"Wel roedd e'n ffôl iawn i ddod i Lundain wyt ti ddim yn meddwl, Bert ? Yn Llundain mae Toby Stevens a Bert Wigg yn perfformio. Do, fe fentrodd i ffau'r llewod Bert—i ffau'r llewod." Safodd yn ymyl Twm.

"Sut dihangest ti o garchar Henffordd, e ? Fe fydd rhaid cadw llygad ar y gwalch 'ma Bert. Un tawel yw e—un distaw Bert."

Nid oedd ei gyfaill yn gwrando arno. Yr oedd ef wedi cerdded at fwrdd yng nghornel yr ystafell lle'r oedd potelaid o win a gwydrau, ac yn awr yr oedd yn ei helpu ei hun yn y fan honno. Clywodd Toby Stevens sŵn gwydrau a throdd ei ben i edrych. Yna gwenodd. "A ! Un drwg wyt ti Bert Wigg, un distaw wyt tithe hefyd. Cofia am dy hen ffrind nawr, paid yfed y cwbwl. Wyddost ti, Bert, fe gawn ni daith fach yn y goets tua 'fory neu drennydd 'ma. Taith braf ar draul y llywodraeth. Fe fydd rhaid anfon dau i Henffordd gyda hwn. Rwyn hoff o'r wlad Bert, mae'n rhaid i fi ddweud."

"Ei di ddim â fi nôl i Henffordd," meddyliodd Twm yn chwerw.

Roedd ef wedi penderfynu ers amser ei fod yn mynd i wneud un ymdrech fawr i gael y gorau ar y ddau rôg yma. Beth oedd yn mynd ymlaen yn yr ystafell arall ? Gwyddai, wrth gwrs, fod y Ledi Eluned yn ceisio ei helpu, ond ni allai weld sut y gallai hi wneud dim.

Yn yr ystafell arall yr oedd y Ledi Eluned yn dadlau'n daer â George Courteney.

"Ond mae e'n ddi-euog, George, ac rwy' am iddo gael amser—dau ddiwrnod—i ddod o hyd i'r dyn Quinn yma. Mae Twm yn credu fod gan hwnnw rywbeth i'w wneud â llofruddiaeth yr Iddew."

"Ond pa sicrwydd sy' gennych chi, Eluned, 'i fod e'n ddi-euog ?"

"Ond mae e' wedi dweud yr hanes i gyd wrthw i ! A pheth arall roedd dau ddyn arall gydag e'r noson honno, ac mae'n nhw'n dystion."

"Wel, os felly, fe ellir galw ar y ddau dyst pan ddaw'r Frawdlys, ac fe ddaw'n rhydd. Felly gadewch iddo fynd yn ôl i Henffordd i sefyll ei braw'. Mae gen i ffydd yn y Gyfraith, Eluned."

"Ond mae e wedi dianc o garchar, George."

"Eluned, r'ŷch chi'n gofyn i fi bwyso ar y ddau Redwr i'w adael e'n rhydd yn Llundain am ddau ddiwrnod ! Pa sicrwydd sy' gen i na fydd e ddim yn dianc unwaith eto. A pheth arall, 'dwy' i ddim yn credu y byddai'r ' Runners ' yn bodloni onibai 'mod i'n talu'n dda i'r ddau walch."

"Mi rodda' i 'ngair i chi, George, na fydd e ddim yn dianc."

Ysgydwodd George Courteney ei ben yn ddi-amynedd.

"Eluned fach, fe ellwch chi roi eich gair, ond sut y gwyddoch chi na fydd e ddim yn diflannu cyn gynted ag y bydd e allan trwy'r drws ? Na, Eluned, fe wnawn i unrhyw beth i'ch helpu chi, fe wyddoch chi hynny, ond 'rŷch chi'n gofyn i mi ymyrryd â chwrs y Gyfraith nawr, a fedra' i ddim gwneud hynny. Pam mae'r dyn yma mor bwysig i chi ?"

"Mae e wedi achub 'y mywyd i, George."

"Wnaeth e ddim byd mwy na fuase unrhyw ŵr bonheddig arall wedi 'i wneud dan yr amgylchiade."

"Rwyn 'i garu fe—rwyn mynd i' briodi fe," meddai'r Ledi Eluned yn dawel.

"Beth !" Edrychodd George Courteney mewn syndod arni. "Megan ! Oeddet ti'n gwybod am hyn ?"

"Wrth gwrs 'mod i'n gwybod, George bach."

Gwenodd y fenyw fach siaradus.

"Na ddwedodd hi ddim, ond fe wyddwn i'n iawn serch hynny."

"Ond sut . . . ?"

"George bach ! Rŷch chi'r dynion mor ddoeth ac mor wybodus, ond ambell waith 'rŷch chi'n rhyfedd o dwp, neu yn ddall ddylwn i ddweud."

Cododd George Courteney ei law at ei dalcen.

"Mae hyn yn rhoi golwg newydd ar bethau. Af fi ddim i ofyn nawr, Eluned, beth rŷch chi'n feddwl wrth benderfynu priodi dyn sy' newydd ddianc o'r carchar, ond mae'n amlwg fod rhaid ceisio rhoi cyfle iddo brofi'i hunan yn ddi-euog."

"Ych chi'n meddwl y bydd y ddau ddyn yna'n fodlon ?"

"Y ddau yna ! Eluned fach, fe werthai'r ddau yna eu mamgu am sofren !"

Pan gerddodd George Courteney yn ôl i'r ystafell lle 'roedd y lleill, 'roedd Toby Stevens a'i gyfaill Mr. Wigg newydd orffen y botel win. Eisteddai Twm wrth y tân â golwg ddi-fater arno. Ond, a dweud y gwir, yr oedd yn gwylio pob symudiad gan ddisgwyl am y cyfle gorau i geisio dianc.

"Gair bach â chi o'r neilltu os gwelwch yn dda, Mr. Stevens a Mr. Wigg," meddai George Courteney. Aeth â'r ddau i'r pen pella' o'r ystafell fawr.

"Mae 'na dystiolaeth newydd ei osod ger 'y mron i," meddai George yn isel, "sy'n gwneud i fi gredu fod y gŵr bonheddig ifanc yma yn ddi-euog o ladd yr Iddew yn Henffordd."

"Ond nid ein lle ni, syr, os maddeuwch chi i mi am ddweud hynny, yw penderfynu a yw dyn yn euog ai peidio—gwaith y llysoedd barn yw gwneud hynny. Gweision y Gyfraith ydyn ni, syr," meddai Toby Stevens.

"Gweision y Diafol !" meddai George Courteney wrtho'i hunan.

"Ie gweishion y Gyfraith—yc !" meddai Mr. Wigg a oedd yn dechrau teimlo effaith y botel win.

"Ac rwy' wedi cael ar ddeall," meddai George Courteney, gan wneud ymdrech fawr i beidio â cholli 'i dymer, "fod y bachgen yma'n teimlo fod siawns dda ganddo i brofi ei fod yn ddi-euog pe bai e'n cael rhyw ddeuddydd i edrych am dystion yn Llundain yma . . ."

Yr oedd dannedd melyn Toby Stevens yn y golwg bob un. Yr oedd yn amlwg ei fod yn ei fwynhau ei hunan yn fawr.

"Ond mae hynny'n amhosib, syr. Fe garai Bert Wigg a

minnau eich helpu chi, syr—chi sy' mor agos at y Prif Weinid-
og, ond mae ein dyletswydd ni'n amlwg, syr, gwaetha'r modd."

Tynnodd George Courteney god fechan o'i boced. Hoeliodd
y ddau Redwr eu llygaid arni.

"Na, rwyn ofni, syr, na allwn ni ddim ystyried y peth am
unrhyw arian," meddai Toby drachefn.

Pwysodd George Courteney'r god yn ei law.

"Mae fy ngwraig a minnau yn bur ddiolchgar i chi eich dau
am eich ymdrechion i ddod o hyd i'r Ledi Eluned Prys, ac fe
garem ni roi rhywbeth i chi'n dâl am eich gwaith."

Tynnodd un sofren felen allan o geg y god.

"Wrth gwrs, pe baech chi'n barod i gydsynio yn y mater arall
'ma . . ." Taflodd y god ar y bwrdd.

Edrychodd Toby Stevens arno gydag edmygedd. Ar hyd ei
oes roedd ef wedi arfer cyfrwystra, ond dyma ŵr bonheddig a
oedd yn gwybod y triciau i gyd. Roedd hi'n mynd i fod yn
bleser gwneud busnes â hwn.

"Gair â'm cyfaill, Bert Wigg os gwelwch chi'n dda Mr.
Courteney."

Tynnodd Bert o'r neilltu a bu'r ddau'n sibrwd yng nghornel
bellaf yr ystafell am dipyn. Pan ddaethant yn ôl roedd golwg
ddifrifol ar wyneb Toby Stevens.

"Mae'r fusnes yma'n afreolaidd iawn Mr. Courteney . . ."

Cododd George Courteney'r god o'r bwrdd.

"Ond os gall y gŵr ifanc brofi nad fe a laddodd yr Iddew ?
Yn wir, mae e'n credu y gall e ddod o hyd i'r llofrudd iawn pe
bai e'n cael dau ddiwrnod . . ."

"Pedair awr ar hugain, syr. Ie, mae fy nghyfaill Bert Wigg a
finne'n teimlo y gallen ni ystyried pedair awr ar hugain, ar y
telerau nad yw'r gŵr bonheddig ifanc ddim yn mynd allan
o'n golwg ni yn yr amser yna. Fe fyddaf fi neu fy hen gyfaill,
Bert Wigg yn 'i ddilyn e fel cysgod Mr. Courteney, er mwyn
eich diogelu chi, syr, yn gymaint â dim."

"Pedair awr ar hugain iefe ?" meddai George Courteney yn
ei feddwl, "os wy'n dy nabod di'r gwalch, mi fyddi di'n barod i
fargeinio nos yfory am bedair awr ar hugain arall. Er mwyn fy
niogelu i ! Wel, wel !"

Gwenodd wrtho'i hunan ac estynnodd y god i Toby Stevens.

Pwysodd hwnnw hi am eiliad yn ei law, yna yr oedd wedi diflannu o dan ei got.

"Fe fyddwn ni'n 'i gymryd e i'r ddalfa am bump o'r gloch nos yfory, syr." Ymgrymodd i George Courteney. "Dydd da i chi, syr, mae wedi bod yn bleser gwneud busnes â chi. Tyrd Bert yr hen gyfaill." Ymgrymodd eto i gyfeiriad Mrs. Courteney a'r Ledi Eluned, ac aeth lwyr ei gefn trwy'r drws.

Cyn iddynt gau'r drws clywodd pawb "Yc !" uchel yn dod o gorn gwddf Mr. Wigg a oedd wedi yfed gormod o win yn rhy gyflym.

CWRDD Â HEN GYFAILL

EISTEDDODD Syr Philip Townsend yn ei ystafell wely yn ei dŷ mawr yn Hanover Square. Yr oedd ganddo sisiwrn bach gloyw yn ei law dde ac yr oedd wrthi'n trimio'i farf fer a'i fwstas. Ar draws troed y gwely mawr gorweddai cleddyf hir mewn gwain gerfiedig.

Gwenodd arno'i hunan yn y drych. Yfory byddai'n cymryd y goets yn ôl i Elmwood Court, ei blas gerllaw Henffordd. Yr oedd wedi blino ar y Brifddinas. Yn wir buasai wedi mynd ar y goets y bore hwnnw onibai iddo benderfynu aros i'r wledd yng nghartre Lord North y noson honno. Nid er mwyn y wledd, ond o barch i'w hen gyfaill, y Prif Weinidog, a oedd wedi bod yn gyfaill mynwesol iddo pan oedd y ddau yn fechgyn ifainc mentrus yn Llundain slawer dydd. Fe geisiodd Syr Philip gofio faint o flynyddoedd oedd er hynny ! Yn agos i hanner cant ! Roedd Llundain wedi newid llawer yn yr amser hwnnw. Neu efallai mai ef oedd wedi newid ? Beth bynnag, yr oedd yn edrych ymlaen am gael 'madael fore trannoeth.

Y bore hwnnw daethai llythyr gyda'r goets o Elmwood yn dweud fod Wilf a'r gaseg ddu wedi cyrraedd yn ddiogel. Fe deimlai dipyn o ryddhad o wybod fod y gaseg werthfawr yn bwyta ceirch yn dawel y funud honno yn stablau Elmwood. Daeth gwên i'w wyneb yn awr wrth gofio'r ddwy ras a enillodd y gaseg yn Llundain. Roedd hi wedi bod yn werth y drafferth i gyd i'w gweld hi'n rhedeg ar ei heithaf yn erbyn ceffylau gorau gwŷr mawr Llundain, a'u curo.

Torrodd flewyn gwyn arall o'i fwstas. Yna clywodd gloch y drws yn canu. Ymhen tipyn clywodd sŵn traed yr hen Ruth, yr unig forwyn a gadwai erbyn hyn yn y tŷ yn Hanover Square, yn dringo'r grisiau. Cododd oddi wrth y drych a byclodd ei gleddyf wrth ei wregys. Gwenodd wrth feddwl mai rhyw hen arfer ffôl oedd hynny bellach. Roedd ef wedi mynd yn rhy hen. Ond unwaith meddyliodd, bu ofn cleddyf Syr Philip Townsend ar fwy nag un o gleddyfwyr enwog Llundain.

"Wel, Ruth ?" meddai pan ddaeth yr hen forwyn i mewn.

"Rhywun i'ch gweld chi, syr."

"Ond fedra' i ddim gweld neb nawr, Ruth. Rwy' ar fin mynd allan. Pwy yw e ?"

"Wn i ddim, syr."

"Wel, beth yw 'i enw fe ?"

"Enw od iawn, syr."

"Enw od ?"

"Ie, syr, enw hir, tebyg i'r enwe sy' arnyn' nhw yn y gwledydd pell."

"O ? Nid dyn du yw e' iefe ?"

"Na, dyn gwyn, bachgen ifanc."

"O wel, dwedwch wrtho na fedra' i ddim gweld neb heno. Na, fe ddweda' i wrtho, rwy' ar fy ffordd allan."

Cydiodd yn ei got fawr borffor, gostus oddi ar gefn y gadair ac aeth i lawr y grisiau.

Yr oedd drws yr ystafell eistedd ar agor a thrwyddo gallai weld ei ymwelydd dieithr. Safai â'i gefn tuag ato yn edrych ar lun ceffyl coch hardd uwch ben y lle tân.

"Mae e'n edmygu llun y Swltan," meddyliodd Syr Philip, "o leia' mae ganddo lygaid yn 'i ben." Y Swltan oedd y ceffyl gorau a fu ym meddiant Syr Philip erioed, a bore trannoeth roedd e'n bwriadu mynd â'r llun gydag ef yn ôl i Elmwood.

Cerddodd i mewn i'r ystafell. Trodd ei ymwelydd ei ben pan glywodd sŵn ei draed. Safodd Syr Philip yn stond.

"Tom !"

"Syr Philip ! Rwyn falch iawn o'ch gweld chi, syr !"

"Tom ! Ond o ble doist ti ? Gest ti dy ryddhau ? Ydyn nhw wedi dod o hyd i'r llofrudd ?"

"Na, syr, rwy' wedi dianc o garchar a . . ."

"Wedi dianc o garchar ! Ond sut . . . ?"

"Mae'n stori hir iawn, syr . . ."

"Hir neu beidio, fe fydd rhaid i mi gael 'i chlywed hi i gyd. Roeddwn i ar fin mynd allan, ond nawr mae hynny allan o'r cwestiwn. Eistedd fan yma a rho'r newyddion i gyd i mi."

"Ga' i ofyn am eich newyddion chi'n gyntaf, syr ?"

"Fy newyddion i ? Wel, fe wyddost fod y gaseg wedi ennill dwy ras ?"

"Na wyddwn i ddim, syr."

"Wel, mae wedi gwneud. Does yna ddim ceffyl i gyffwrdd â hi yn Llundain 'ma, Tom, coelia di fi. O ie, mae gen i dipyn o arian mewn llaw i ti hefyd. Rwy' wedi talu'r ddyled i Syr John Sbens, ac mae 'na yn agos i gan gini dros ben.

"Rwyn falch iawn i glywed, syr, ac rwyn ddiolchgar iawn am bopeth. Ble mae'r gaseg nawr ?"

"Mae yn Elmwood."

"Yn Elmwood ?"

"Ie—fy lle i yn ymyl Henffordd. Fe anfones i Will â hi ddiwedd yr wythnos. Mae'r gaea'n dod nawr, Tom, ac fydd 'na ddim llawer rhagor o rasio ar y gwastad, a charwn i ddim mentro dy gaseg di dros y cloddiau, rhag ofn iddi gael damwain a thorri'i choes."

"A'r Porthmon ?"

"Mae e wedi mynd adre i Gymru. Ond roedden ni'n dau wedi addo cwrdd yn Henffordd cyn y Frawdlys. Rwy' wedi cael y cyfreithiwr gore yn Llundain i'th amddiffyn di. Ond dyma ti wedi dianc o'r carchar."

Yna bu rhaid i Twm ddweud yr holl hanes wrth Syr Philip.

"A nawr, rŷch chi'n gweld mai fy unig obaith yw dod o hyd i Quinn."

"Ie, Quinn," meddai'r hen ŵr bonheddig yn feddylgar, "mae enw hwn yn dod i mewn i'r helynt drwy'r amser on'd yw e ? Gwas Syr Henry Mortimer ddwedest ti ?"

"Ie. Ŷch chi'n nabod hwnnw, syr ?"

"Fe wn i 'i fod e wedi bod yn byw yn Henffordd am dipyn, ac rwyn cofio clywed sôn 'i fod e mewn dyled i fwy nag un yno, dyna'i gyd. Ond ble mae e nawr dyna'r cwestiwn ?"

"Fe all fod mewn unrhyw fan."

"Ie. Na, Tom, hidiwn ni ddim llawer i fetio 'i fod e yn Llundain yn rhywle."

"Ydych chi wedi clywed rhywbeth, syr ?"

"Na. Ond mae dynion fel Syr Henry Mortimer, Tom, yn cael eu tynnu i Lundain wyddost ti. Fan yma mae canolfan pob drygioni fachgen, ac fe fyddai Syr Henry a'i siort yn teimlo allan ohoni mewn unrhyw le arall. Aros ! mae gen i syniad."

"Syr ?"

"Rwyn mynd i roi'r achos 'ma ger bron Lord North, mae e'n hen gyfaill i fi."

"Y Prif Weinidog ? Ond syr . . ."

GWELD Y PERLAU ETO

Yм mhlas Lord North roedd y neuadd fawr yn olau i gyd, a'r byrddau'n llawn bwydydd a diodydd o bob math. Hyd yn oed yn y gerddi ac ar y lawnt helaeth tu allan yr oedd lanternau yn hongian wrth frigau'r coed ac yn goleuo pob man.

Yr oedd y Ledi Eluned newydd gael ei chyflwyno i'r Prif Weinidog gan Mrs. Courteney, ond yn awr yr oedd honno wedi ei gadael wrthi'i hunan am funud tra'r oedd hi'n cyflwyno rhywun arall i'r dyn mawr.

Eisteddodd y Ledi Eluned ar soffa yn ymyl un o ffenestri mawr y neuadd a oedd yn cyrraedd hyd y llawr. Edrychodd o'i chwmpas. Gwir a ddywedodd Mrs. Courteney y byddai pawb, a oedd yn rhywun, yn y wledd. O flaen ei llygaid yn awr gallai weld tyrfa fawr o wragedd a gwŷr bonheddig mewn dillad costus o bob lliw a llun.

Yn sydyn gwelodd y Ledi Eluned rywbeth a wnaeth iddi ddal ei hanadl mewn dychryn. O'i blaen safai dynes dal mewn gŵn felfed ddu. Yr oedd ei hysgwyddau'n noeth ac am ei gwddf yr oedd rhes o berlau a rheini'n fflachio yn y golau. Cododd y Ledi Eluned ar ei thraed ac aeth gam yn nes ati. Gwelodd y ddynes dal hi'n edrych a gwgodd arni.

"Be' sy', Madam?" gofynnodd, "oes cyrn yn tyfu arna' i?"

Agorodd y Ledi Eluned ei cheg ond ni allai dorri un gair. Edrychodd y ddynes dal i lawr yn wawdlyd arni, yna trodd ei chefn a cherddodd ymaith.

Edrychodd y Ledi Eluned o gwmpas mewn penbleth. Ble'r oedd ei ffrindiau, George a Megan Courteney? Nid oedd sôn am yr un ohonynt yn un man. Beth allai hi wneud? Sylweddolodd yn sydyn ei bod yn crynu fel deilen. Dechreuodd gerdded ar ôl y ddynes dal.

"Eluned, mae'n ddrwg gen i dy adel di felna." Yr oedd Megan Courteney yn ei hymyl.

"Megan!"

"Eluned ! Be' sy' ? Rwyt ti'n edrych fel taet ti wedi gweld ysbryd !"

Cydiodd y Ledi Eluned ym mraich ei ffrind.

"Megan, y perlau ! Rwy' wedi gweld y perlau !"

"Y perlau ? Beth wyt ti'n feddwl ?"

"Rwy' newydd 'u gweld nhw am wddf rhyw ddynes dal mewn gŵn ddu."

"Y rhaff berlau sy' ar goll ?"

"Ie, ie."

"Wyt ti'n siŵr ?"

"Yn berffaith siŵr."

"Sut y galli di fod mor bendant ?"

"On'd gweles i nhw ! Roedd y saffir glas yn y canol. A phan drodd hi 'i chefn fe weles i'r ddolen arian oedd yn clymu'r ddau ben. Roedd hi wedi torri rywbryd ac roedd hi wedi ca'l 'i asio gan y gof yn Nhregaron yn ddigon anghelfydd. Roeddwn i'n nabod y rhaff wrth y saffir glas ond pan weles i'r asiad yn y cefn 'doedd dim amheuaeth o gwbwl."

"Ond sut . . . ?" Edrychodd Mrs. Courteney ar ei ffrind. "Beth wyt ti am wneud nawr ?"

"Rhaid i ni ofyn i'r ddynes 'na ymhle cafodd hi'r rhaff berlau."

Daeth golwg ofidus i wyneb Mrs. Courteney.

"Rhaid i ni ofalu na fydd dim byd annifyr yn digwydd 'ma heno. Gad i ni fynd i edrych am George, fe fydd e'n gw'bod beth i' neud."

"Rhaid i ni beidio â cholli golwg ar y ddynes yna, Megan, neu fe fydd ar ben."

Cerddodd y ddwy trwy'r dorf â Megan Courteney'n cadw llygad am George, a'r Ledi Eluned yn edrych i bob cyfeiriad am y ddynes dal.

Yn sydyn, wrth ddigwydd edrych i gyfeiriad y drws, gwelodd hen ŵr bonheddig cloff mewn dillad costus yn cerdded i mewn, ac yn dynn wrth ei sodlau roedd Twm Siôn Cati ! Edrychodd y Ledi Eluned mewn syndod am eiliad, yna rhedodd tuag at y ddau a gadael ei ffrind yn y man.

"Twm !" meddai'n wyllt, "rwy' wedi gweld y rhaff berlau !"

"Beth ?" gofynnodd Twm, "gweld y perlau ! Ond ymhle ?"

"Maen' nhw am wddf rhyw ddynes dal . . . mae hi yma nawr yn rhywle."

Edrychodd Twm o gwmpas yn wyllt.

"Ellwch chi 'i gweld hi nawr ?"

Yna pesychodd yr hen ŵr bonheddig yn ei ymyl.

"O . . . y . . . maddeuwch i mi," meddai Twm, "dyma Syr Philip Townsend—y Ledi Eluned Prys o Dregaron, syr."

Edrychodd yr hen Syr Philip mewn edmygedd ar y foneddiges hardd o Gymru. Cydiodd yn ei llaw a phlygodd drosti â'i gwrteisi hen ffasiwn.

"Rwy' wedi clywed cymaint amdanoch, madam," meddai wrth ryddhau ei llaw, "ond fe gawn i amser i ddod i nabod ein gilydd eto. Yn awr dangoswch y ddynes yma sy'n gwisgo'r perlau i ni os gwelwch yn dda."

"Dilynwch fi," meddai'r Ledi Eluned gan arwain y ffordd i'r cyfeiriad y gwelodd y ddynes dal yn mynd bum munud ynghynt.

Yn sydyn stopiodd y Ledi Eluned ar ganol y llawr.

" 'Co hi fanco !" meddai. Ac yn wir, dyna lle'r oedd hi'n siarad â George a Megan Courteney â'i chefn yn pwyso ar un o'r tri philer mawr a oedd yn y neuadd. Am y tro cyntaf sylwodd y Ledi Eluned ei bod hi'n ddynes hardd iawn. Yr oedd yn gwenu yn awr ac yn siarad â George a Megan Courteney fel pe baent yn hen ffrindiau. Cyn cyrraedd hyd atynt stopiodd Syr Philip yn stond.

"Ond rwyn nabod hon !" meddai mewn syndod, "Julia Cavendish yr actores enwog yw hi !" Trodd at y Ledi Eluned. "Does dim posib eich bod chi'n camsynied oes e, madam ?"

"Na, rwyn berffaith siŵr."

Edrychodd yr hen ŵr bonheddig i fyw ei llygad.

"Rwyn eich credu chi wrth gwrs, ond mae rhyw ddirgelwch mawr fan hyn. 'Fydd gwahaniaeth gennych chi adael i mi ddelio â'r mater ?"

Ysgydwodd y Ledi Eluned ei phen.

"O'r gore, 'mlaen â ni i'r frwydyr," meddai Syr Philip gan gerdded yn herciog i gyfeiriad y tri a oedd yn siarad wrth ymyl y piler.

Wedi cyrraedd hyd atynt, pesychodd Syr Philip a throdd y

ddynes dal ei phen. Agorodd ei llygaid, a daeth gwên hyfryd i'w hwyneb pan welodd Syr Philip yn sefyll yn ei hymyl.

"Syr Philip ! 'Doeddwn i ddim yn disgwyl eich gweld *chi* !" Estynnodd ei llaw iddo.

"Madam Julia !" meddai Syr Philip gan gydio'n dynn yn ei llaw, "rŷch chi'n edrych yn harddach nag erioed, madam, os ca' i ddweud hynny." Cododd ei llaw at ei wefusau.

"Ac 'rŷch chithe, Syr Philip yn edrych fel llanc. Ond 'dy'n ni ddim wedi cael eich cwmni chi yn y theatr ers amser. Beth sy'n bod ? A ŷch chi wedi cael digon ar ein perfformiade ni, syr ?"

"Digon ar eich perfformiade chi, Madam Julia ? Na, na !" Ochneidiodd. "Henaint ni ddaw ei hunan, Madam. Mae bywyd yn y Brifddinas yn rhy brysur i hen ŵr fel fi. Ers sawl blwyddyn bellach rwy' wedi dewis byw yn nhawelwch y wlad . . ."

Ond yn awr yr oedd y ddynes dal yn edrych ar y Ledi Eluned, ac yr oedd gwg ar ei hwyneb hardd.

"Dwy' ddim yn meddwl 'mod i'n nabod y foneddiges yma, Syr Philip. Gyda chi mae hi ?"

"Ie, Madam Julia."

"Pam mae hi'n edrych arna' i felna, syr ?"

"Y . . . nid edrych arnoch chi mae hi, Madam."

"Maddeuwch i fi, Syr Philip !"

"Na, na. Gadewch i mi egluro os gwelwch chi'n dda. Mae gan y foneddiges 'ma—mae gennym ni i gyd a dweud y gwir—y —ddiddordeb yn y perlau 'na sy'n edrych mor hardd ar eich gwddf chi, Madam Julia."

Cododd Julia Cavendish ei llaw at ei gwddf.

"Ond . . . maddeuwch i mi Syr Philip, ond 'dwy' ddim yn deall ?"

"Mae 'na le i gredu, madam, mai'r foneddiges yma—y Ledi Eluned Prys—yw perchen y perlau."

Nid oedd angen llygaid craff iawn i weld fod yr hen Syr Philip, ar waetha'i holl gwrteisi, wedi rhoi ei droed ynddi. Fflachiodd llygaid y ddynes dal.

"Syr Philip ! Wel !" meddai gan edrych yn sarrug arno.

Edrychai George a Megan Courteney yn anesmwyth iawn.

"Beth ŷch chi'n feddwl, Syr Philip ?" meddai Julia Cavend-ish wedyn.

"Peidiwch â nghamddeall i, Madam Julia, gobeithio y galla' i egluro popeth i chi maes o law."

"Gobeithio y gallwch chi yn wir.   'Dŷch chi ddim am awgrymu mod *i* wedi dwyn y perlau ŷch chi ?"

"Chymerwn i ddim mo'r byd am awgrymu'r fath beth.   Ond gyda'ch caniatâd chi fe garwn i ofyn i chi ymhle cawsoch chi'r perlau ?"

" 'U cael nhw'n anrheg gan fy ngŵr wnes i."

"A'ch gŵr ?   Oes gennych chi syniad ymhle y cafodd e nhw ?"

Ysgydwodd yr actores ei phen yn ddi-amynedd.

"Does gennych chi ddim busnes i'm holi i fel hyn !"

"Madam Julia, os gwelwch chi'n dda—fe all bywyd y gŵr ifanc 'ma ddibynnu ar eich ateb chi."   Pwyntiodd Syr Phillip at Twm a sylwodd Julia Cavendish arno am y tro cyntaf. Edrychodd ar ei ddillad gwladaidd, yna sylwodd ar yr olwg ofidus ar wyneb y Ledi Eluned.

Yna troes yn ôl at Syr Philip â golwg llai sarrug ar ei hwyneb.

"Rwyn meddwl 'mod i'n eich nabod chi'n ddigon da Syr Philip, i wybod na fuasech chi ddim yn holi cwestiynau fel hyn onibai fod gennych chi reswm da dros wneud hynny."

"Diolch Madam Julia," meddai'r hen ŵr bonheddig. "Mae'n debyg mai 'u prynu nhw mewn rhyw siop neu'i gilydd wnaeth eich gŵr ?   Tawn i'n cael enw'r siop . . ."

"Nage, 'u hennill nhw wnaeth e."

" 'U hennill nhw, Madam Julia ?"

"Ie, wrth chware cardie—yn Stafelloedd Maldano—dyna lle mae e heno, os nad ŷch chi'n 'y nghoelio i . . ."

"Rwy' yn eich coelio chi, wrth gwrs," meddai Syr Philip.

"Fe enillodd yn drwm un noson.   Rwyn meddwl iddo ddweud iddo ennill yn agos i dri chan punt oddi wrth un dyn, ac fe gynigiodd hwnnw'r rhaff berlau iddo gan 'i fod e'n brin o arian ar y pryd."

"Ddwedodd e enw'r dyn wrthych chi ?" gofynnodd Syr Philip, a phwysodd Twm ymlaen i glywed ei hateb.

"Yn wir, Syr Philip", meddai'r actores, " 'dwy' ddim yn meddwl y dylwn i ddweud enw'r gŵr bonheddig yma."

"Mae'r mater yn bwysig, Madam, coeliwch fi," pwysodd Syr Philip.

Edrychodd Julia Cavendish unwaith eto o gwmpas yr wynebau o'i hamgylch.

"Syr Henry Mortimer," meddai o'r diwedd.

Edrychodd Syr Philip ar Twm. Yr oedd golwg gynhyrfus ar hwnnw.

"Ac yn awr, Syr Philip," meddai Mrs. Cavendish, " 'dwy' ddim yn bwriadu ateb rhagor o gwestiynau."

"Un arall annwyl Madam Julia, os gwelwch yn dda—er fy mwyn i. Cyfeiriad Syr Henry Mortimer—ydych chi'n digwydd gwybod hwnnw ?"

Ysgydwodd yr actores ei phen. " 'Does gen i ddim syniad, ond mi wn 'i fod e'n mynychu Stafelloedd Maldano'n amal. Os ewch chi yno fe fydd rhywun siŵr o fod yn gwybod 'i gyfeiriad."

"Diolch o galon, Madam Julia. Ac yn awr os maddeuwch chi i ni, mae'n rhaid i ni fynd."

"I ble ?" gofynnodd Megan Courteney.

"I Stafelloedd Maldano," meddai Syr Philip.

"Arhoswch," meddai Julia Cavendish.

"Madam ?"

"Ar ôl i mi ateb cymaint o gwestiynau i chi, Syr Philip, rwyn meddwl 'i bod hi'n deg i chi ateb un neu ddau i mi."

Bowiodd Syr Philip.

"Yn y lle cynta', beth yw'r holl helynt ynglŷn â'r perlau 'ma ?" gofynnodd yr actores.

"Wedi 'u dwyn y maen' nhw, Madam, ac mae 'na hen ddyn wedi ei lofruddio yn Henffordd o'u hachos nhw."

"Hen ddyn wedi 'i lofruddio !" Cododd Julia Cavendish ei dwylo at y rhaff berlau am ei gwddf. "Yr arswyd y byd." Cydiodd yn y ddolen a ddaliai ddeupen y rhaff a thynnodd hi oddi ar ei gwddf. "Dyma'r perlau i chi, Syr Philip. Fedra' i ddim 'u diodde' am fy ngwddf funud yn rhagor ; a pheth arall mae'n debyg y bydd 'u hangen nhw arnoch chi i ddwyn y llofrudd i'r ddalfa."

Cymerodd Syr Philip y rhaff yna cododd ei llaw at ei wefusau.

"Diolch unwaith eto," meddai, "mae'n bosib eich bod chi wedi achub bywyd y gŵr ifanc yma heno, Madam Julia. Ond yn awr, rhaid i ni fynd ar unwaith. Yfory fe garwn i alw i'ch gweld er mwyn i chi gael yr hanes i gyd . . ."

"Gwnewch hynny Syr Philip," meddai hithau dan wenu.

"Tyrd Tom," meddai'r hen ŵr bonheddig, "os oes lwc i ni heno fe fydd dy broblemau di wedi eu datrys cyn y bore."

"Rwy'n barod, syr," meddai Twm.

Yna teimlodd law ar ei fraich.

"Byddwch yn ofalus," meddai'r Ledi Eluned yn dawel.

Aeth Twm a Syr Philip yn frysiog allan o'r neuadd lawn ac i lawr y lôn lydan a oedd yn arwain i'r stryd. Yr oedd y ddau mewn cymaint o frys fel na welsant y cysgod tal a ddaeth allan o dan y coed a'u dilyn. Yr oedd gan y ' cysgod ' hwnnw wasgod goch a ffon fer wrth ei arddwrn. Mr. Toby Stevens ydoedd.

AR DRYWYDD Y LLEIDR

Yn ystafelloedd Maldano yr oedd lampau llachar yn hongian uwchben y byrddau gwyrddion lle'r oedd gwŷr bonheddig hen ac ifanc yn chwarae cardiau.

Cerddai Maldano—Maldano Dew—fel y gelwid ef gan bawb, o un ystafell i'r llall i weld fod popeth yn mynd ymlaen yn iawn. Yr oedd ef yn ddyn enwog iawn yn Llundain yn y blynyddoedd hynny—yn enwog am ei gryfder ac am ei giniawau blasus. 'Doedd hi ddim yn hawdd cadw trefn a heddwch yn ei Ystafelloedd bob amser. Weithiau byddai cweryl yn codi ynghylch y cardiau a byddai ambell ŵr bonheddig yn tynnu ei gleddyf neu ei bistol. Bryd hynny byddai Maldano'n symud yn gyflym ar waetha'i gorff mawr, afrosgo. Cyn pen winc fe fyddai'r ddau a oedd yn mynd i ymladd yn eu cael eu hunain tu allan yn nhywyllwch y stryd. Nid oedd dim gwahaniaeth gan Maldano beth a wnaent â'u hunain yn y fan honno. Fe allent saethu ei gilydd os mynnent, cyn belled â'u bod yn gwneud hynny y tu allan i'w Ystafelloedd enwog ef. Ond fynychaf fe fyddai'r ddau a oedd yn cweryla yn dod atynt eu hunain tu allan ac yn mynd adre heb greu rhagor o gynnwrf. Ond yn awr fe deimlai Maldano'n anesmwyth. Cerddai o gwmpas yn ddistaw dros y carpedi trwchus, ond nid âi byth ymhell oddi wrth un bwrdd ynghanol yr ystafell fawr.

Wrth y bwrdd hwnnw eisteddai tri gŵr bonheddig yn chwarae cardiau. John Cavendish, gŵr Madam Julia Cavendish oedd un, Daniel Lawrence, y banciwr cyfoethog o ddinas Llundain oedd y llall, a'r olaf oedd Syr Henry Mortimer.

Yr oedd potelaid o win coch wrth benelin Syr Henry a phob yn awr ac yn y man arllwysai lond gwydr iddo'i hunan. Yr oedd ei wyneb yn goch a'i lygaid yn disgleirio wrth wylio'r cardiau'n disgyn ar y bwrdd o un i un. Y funud honno fe deimlai'n ddig wrth y cardiau ac wrth y ddau a eisteddai gydag ef. Pam na fyddai ei lwc yn troi ? Onid oedd wedi colli, colli ers wythnosau ? Daethai at y byrddau'r noson honno gan feddwl yn siŵr ei fod yn mynd i ennill. Felly yr oedd hi o hyd. Ond rywfodd neu'i gilydd roedd lwc wedi ei adael, a pho fwyaf a gollai, mwyaf oll oedd ei awydd i fetio rhagor. Yn barod y noson honno yr oedd ef wedi colli mwy nag a oedd ganddo o arian i dalu pan ddeuai'r chware i ben.

Ond byddai ei lwc yn siŵr o droi ond iddo ddal ati. Edrychodd ar Daniel Lawrence. Eisteddai hwnnw'n syth yn ei gadair gan ddal y cardiau'n agos at ei wyneb.

"Mae e'n edrych yn union fel hen lwynog," meddai Syr Henry wrtho'i hunan, wrth edrych ar wyneb hir, tenau'r banciwr. Wedyn taflodd gipolwg i gyfeiriad John Cavendish. Eisteddai hwnnw'n ddioglyd yn ei gadair â hanner gwên ar ei wyneb, fel pe na bai unrhyw wahaniaeth ganddo p'un ai colli neu ennill a wnâi. "Ac eto mae e'n un o'r chwareuwyr mwya' lwcus welais i erioed," meddyliodd Syr Henry'n chwerw. Yn sydyn sylweddolodd fod rhywun yn sefyll wrth ei ymyl. Trodd ei ben ac edrychodd i fyny i lygaid duon Maldano. Am ennyd bu'r ddau yn edrych ar ei gilydd. Yr oedd yr olwg ar wyneb Maldano'n ddigon i ddweud wrth Syr Henry fod y dyn mawr tew yn gwybod ei gyfrinach—yn gwybod nad oedd ganddo ddigon o arian i dalu ei ddyledion. Gwyddai hefyd y byddai Maldano'n ei wylio fel cath yn gwylio llygoden yn ystod y gweddill o'r nos, nes byddai wedi gadael yr adeilad. Deallodd Syr Henry'r cyfan hyn heb i'r un ohonynt dorri gair. Ond synnodd braidd pan blygodd Maldano a sibrwd yn ei glust, "Dau ŵr bonheddig i'ch gweld chi, syr."

"Eisie ngweld i ? Ond fedra' i ddim gweld neb nawr, rwy' ar hanner chware. Pwy ydyn' nhw ?"

"Wn i ddim syr."

"Wel dwed wrthyn' nhw . . ." Yna stopiodd Syr Henry ar hanner brawddeg. Daeth y syniad i'w ben fod hwn yn gyfle iddo sleifio ymaith heb yn wybod i neb a heb orfod talu ei ddyledion. Pwy bynnag oedd y ddau ddyn a oedd wedi dod i'w weld yr oeddynt wedi rhoi esgus iddo godi oddi wrth y bwrdd.

"Dwed wrthyn' nhw y dof fi ar unwaith," meddai wrth Maldano.

Gwgodd y banciwr a gwenodd John Cavendish.

"Brysia nôl, gyfaill," meddai'r olaf, " 'rwyn teimlo'n lwcus heno."

Pesychodd Daniel Lawrence. "Ydych chi'n siŵr, syr, y byddwch chi'n dod nôl ? Efallai fod yn well gennych chi setlo . . ."

"Na, na. Munud yn unig fydda' i gyfeillion."

Gwyddai Syr Henry fod Maldano yn ei wylio. A oedd hanner gwên yn chware o gwmpas ei wefusau trwchus ? Beth bynnag, arweiniodd ef ar draws y llawr ac at ddrws ymhen draw'r ystafell. Yr oedd hwnnw'n arwain i ystafell dipyn yn llai. Ynddi safai dau ddyn â'u cefnau at y lle tân. Edrychodd Syr Henry o un i'r llall. Yr oedd un ohonynt yn hen, yn dal ac yn drwsiadus iawn ei wisg. Gŵr ifanc tal, pryd tywyll oedd y llall. Nid oedd Syr Henry wedi gweld yr un ohonynt o'r blaen.

"Syr Henry Mortimer ?" gofynnodd yr hen ŵr bonheddig.

"Ie, dyna fy enw i. A chi syr ? Dwy'i ddim yn meddwl . . ."

"Syr Philip Townsend o Elmwood gerllaw Henffordd."

Henffordd ! Curodd calon Syr Henry'n gyflymach.

"Wel," meddai, "beth yw'ch busnes chi â fi ?"

Edrychodd Syr Philips ar Maldano a oedd yn dal i sefyll wrth ymyl y drws. Ond nid oedd y dyn tew yn edrych fel petai'n barod i symud.

"Hon !" meddai Syr Philip ar ôl ennyd o ddistawrwydd, ac yn sydyn yr oedd rhaff berlau'r Dolau yn fflachio yn ei law. Yr oedd Twm Sion Cati'n gwylio Syr Henry'n ofalus. A oedd ei foch wedi gwelwi pan welodd y perlau ?

"A, perlau ! Maen' nhw'n edrych yn rhai gwerthfawr. Ond pam 'rŷch chi'n 'u dangos nhw i fi ?"

"Roedd y gŵr ifanc 'ma," meddai Syr Philip, gan gyfeirio at Twm, "yn cario'r rhain pan ymosodwyd arno fe yn Henffordd. Pan ddaeth e ato'i hunan roedd y perlau wedi diflannu."

Oedd—roedd Twm yn siŵr fod wyneb Syr Henry wedi gwelwi. Ond fe atebodd Syr Philip yn ddigon swta serch hynny.

"Beth sydd a wnelo hynny â fi ?" gofynnodd.

" 'Rydyn ni wedi clywed, syr, eich bod chi wedi defnyddio'r perlau 'ma i dalu eich dyled i Mr. Cavendish . . ."

"Celwydd !" gwaeddodd Syr Henry.

Trodd Syr Philip at Maldano.

"Ydy' hi'n bosib, syr, fod Mr. Cavendish yma heno ?"
Nodiodd Maldano.

"Efallai y byddech chi cystal â gofyn iddo ddod yma am funud."

Ond ni symudodd y dyn tew. A dweud y gwir yr oedd ofn arno golli golwg ar Syr Henry.

" 'Rwyn erfyn arnoch chi, syr, mae'r mater yn bwysig," meddai Syr Philip.

Aeth Maldano allan a chau'r drws.

Pan dynnodd Twm a Syr Philip eu llygaid oddi ar y drws yr oedd Syr Henry Mortimer wedi tynnu pistol du allan o dan ei got.

"Peidiwch â symud gewyn, yr un ohonoch chi," meddai.

Aeth llaw yr hen Syr Philip yn nes at garn ei gleddyf.

"Peidiwch â gwneud dim byd ffôl, Syr Philip. Na thithe," gwaeddodd yn siarp pan welodd Twm yn dod gam yn nes.

"Syr," meddai Syr Philip, "mae hyn yn profi fod gennych chi rywbeth i'w wneud â dwyn y perlau !"

Chwarddodd Syr Henry. "O'r gore—fe gewch chi wybod hynny beth bynnag gan John Cavendish pan ddaw e. Ond mi fydda' i'n ddigon pell erbyn hynny. A pheidiwch â thrio nilyn i, waeth fyddwch chi naws gwell. Mae Llundain yn lle mawr iawn ac mae 'ma ugeiniau o strydoedd bach tywyll . . ."

Wrth ddweud hyn yr oedd yn mynd lwyr ei gefn am y drws gan wylio Syr Philip a Twm bob eiliad.

"Ti laddodd yr Iddew hefyd ?" gofynnodd Twm yn sydyn, pan oedd Syr Henry wedi agor y drws.

Am eiliad meddyliodd Twm y byddai'r dihiryn yn ei saethu'n gelain yn y man. Nid oedd erioed wedi gweld golwg mor fileinig ar wyneb neb. Gwelodd y pistol yn ei law yn codi fodfedd yn uwch ac yn anelu'n union at ei fynwes.

Ond rhaid bod Syr Henry wedi newid ei feddwl oherwydd yr eiliad nesaf yr oedd wedi diflannu a'r drws wedi cau. Yna clywodd y ddau yr allwedd yn troi yn y clo.

"Welaist ti 'i wyneb e, Tom ? Os gwelais i olwg euog ar unrhyw un erioed . . ."

"Ond mae e'n dianc arnon ni, syr ! Rhaid i ni fynd ar ei ôl !"

COLLI UN LLEIDR A DAL Y LLALL

CERDDAI tri dyn yn frysiog trwy strydoedd tywyll Llundain. Cerddai un—dyn tal, tenau—ryw ddwylath o flaen y ddau arall. Hwnnw oedd yn arwain, ac er fod y strydoedd bach hynny'n gul ac yn gymhleth ni phetrusodd unwaith. Fe wyddai ei ffordd ar waetha'r tywyllwch a phopeth. Yn wir, ni allai'r ddau arall fod wedi cael gwell arweinydd, oherwydd yr oedd y dyn tal, tenau yn adnabod Llundain yn well na neb, ac nid oedd llawer o strydoedd cefn nad oedd ef wedi eu cerdded rywbryd. Hwn oedd Mr. Toby Stevens. Ar ôl clywed hanes yr hyn a ddigwyddasai yn Stafelloedd Maldano, ac ar ôl i Syr Philip iro'i law â deg gini arall, yr oedd ef wedi cytuno i'w harwain i "Weavers Lane" lle, yn ôl Maldano a John Cavendish yr oedd Syr Henry Mortimer yn byw. Ond a dweud y gwir nid oedd ganddynt fawr o obaith y byddai'r bonheddwr hwnnw'n ddigon ffôl i fynd yn syth i'w gartref ar ôl dianc o'i gafael. Ond gan nad oedd ganddynt unrhyw wybodaeth arall yn ei gylch, nid oedd dim i'w wneud ond dilyn y trywydd yma.

"Dyma 'Weavers Lane'," meddai Toby Stevens.

"Pw ! Diolch byth !" meddai Syr Philip. Yr oedd yr hen ŵr bonheddig wedi cael gwaith dilyn y ddau arall ac yn awr yr oedd bron a cholli ei wynt.

Aeth Toby Stevens yn syth at y nawfed tŷ ar y chwith. Ar y cyntaf meddyliodd y tri fod y tŷ yn hollol dywyll, ond wedi mynd yn nes gwelsant mai llenni tywyll oedd dros y ffenestri, ac fod un llafn bach o olau yn dod trwyddynt. Yr oedd reilin haearn isel o flaen y ffenest. Neidiodd Twm dros y reilin ac aeth yn ddistaw bach at y crac yn y llenni. Gallai weld i mewn i'r ystafell. Gallai weld lle tân a darn o bren ar hanner llosgi yn y grât. Yna gwelodd ddwy droed yn pwyso ar y pentan, ac wedi ymestyn tipyn o'i wddf gwelodd wyneb llwyd a phen hanner moel ei hen elyn—Quinn. Yr oedd bwrdd wrth ei benelin a photel win ar honno. Yr oedd yn amlwg fod Quinn yn gwneud y gorau o bethau tra'r oedd ei feistr oddi cartref, a hawdd gweld wrth yr olwg hamddenol ar ei wyneb na wyddai ddim am yr hyn oedd wedi digwydd i'w feistr y noson honno.

Aeth Twm yn ôl yn ddistaw at y lleill a sibrydodd wrthynt yr hyn a welsai.

"Sut awn ni mewn ?" gofynnodd wedyn, "rhaid i ni beidio â cholli'r 'deryn yma fel y collson' ni'r llall neu fe fydd ar ben arnon ni."

Bu'r tri'n trafod y broblem yma am dipyn, yna penderfynwyd derbyn cynnig Toby Stevens.

"Mae drws cefn i bob un o'r tai yma," meddai Toby, a synnodd Twm fod y Rhedwr yn gwybod hynny, "felly rwyn awgrymu, foneddigion, fy mod i'n mynd i'r cefn i ofalu na fydd yr aderyn ddim yn hedfan y ffordd honno. Fe gewch chwithe fynd at y drws ffrynt. Os bydd e'n gwrthod agor y drws, fe alwaf arno yn enw'r Gyfraith."

Aeth Toby ymaith i'r tywyllwch, ac wedi aros rhai munudau iddo gyrraedd cefn y tŷ, aeth Syr Philip a Twm yn syth at ddrws y ffrynt.

Yr oedd Syr Philip wedi codi ei law i guro'r drws, ond cydiodd Twm yn y glicied. Agorodd y drws yn hawdd a cherddodd Twm i mewn i gyntedd tywyll. Ond o'i flaen gallai weld golau'n dod allan o dan ddrws arall. Agorodd hwnnw hefyd o dan ei law. Yr eiliad nesaf yr oedd Quinn ac yntau wyneb yn wyneb.

Daeth traed Quinn i lawr yn sydyn o ben y pentan ac am ennyd bu'r ddau yn llygadu ei gilydd. Fe deimlai Twm rhyw lawenydd mawr yn ei galon y funud honno. Dyma ben y daith. Dyma Quinn. Unwaith nid oedd yn ddim ond enw ac wyneb ; ond dyma fe'n gyfan o'r diwedd. Quinn—achos y cyfan a oedd wedi digwydd i Twm er diwrnod y ras fawr yn Henffordd.

Cydiodd Quinn yng ngwddf y botel a oedd ar y bwrdd a rhuthrodd ato. Trawodd Twm ef rhwng ei ddau lygad â'i ddwrn chwith. Syrthiodd Quinn yn ôl yn erbyn y grât a thasgodd gwreichion o'r pren a oedd yn llosgi ar y tân. Neidiodd o ganol y gwres fel 'ta'i wedi cael ei saethu. Yna trawodd y botel yn ymyl y grât. Clywodd Twm y gwydr yn torri a sylwodd fod y darn o'r botel a oedd ar ôl yn ei law yn finiog fel cyllyll. Ysgydwodd Quinn ei ben a daeth yn nes at Twm—yn fwy gwyliadwrus y tro hwn, gan ddal y darn potel o'i flaen.

Ond yn sydyn yr oedd yr hen Syr Philip wedi camu heibio i Twm â'i gleddyf hir yn ei law.

"Ar eich gwyliadwriaeth, syr !" gwaeddodd yr hen ŵr bonheddig gan bwyntio'i gleddyf yn syth at gorn gwddf Quinn. Ciliodd hwnnw gam yn ôl. Ond yr eiliad nesaf yr oedd cleddyf Syr Philip wedi ei frathu yn ei arddwrn nes bod y gwaed yn rhedeg. Digwyddodd y peth mor sydyn fel y gollyngodd Quinn ei afael ar y darn potel a syrthiodd y gwydr i'r llawr yn deilchion.

"Eistedd yn y gadair 'na !" gwaeddodd Syr Philip, ac yr oedd y fath awdurdod ym mlaen y cleddyf ac yn y llais fel yr eisteddodd Quinn ar unwaith yn 'i gadair. Yna cerddodd Toby Stevens i mewn i'r ystafell. Agorodd Quinn ei lygaid led y pen pan welodd wasgod goch un o Redwyr Bow Street.

"Yn awr," meddai Syr Philip, "ble mae dy feistr ?"

"Wn i ddim."

Unwaith eto tynnodd Syr Philip y rhaff berlau o'i boced a'i dal o flaen llygaid Quinn.

"Ti ddygodd hon ontefe ? Yn Henffordd, wyt ti'n cofio ?"

"Chi sy'n dweud hynny. Rwy' i'n gwadu'n bendant."

"Fe welson ni dy feistr heno, yn Stafelloedd Maldano," meddai Twm, "ac mae e wedi cyfadde . . ."

"Cyfadde beth ?"

"I chi ddwyn y perlau."

"Celwydd !" meddai Quinn.

"Os gwelwch yn dda," meddai Toby Stevens, gan gamu ymlaen heibio i Twm a Syr Philip, "efalle y byddwch chi cystal â gadael i fi holi tipyn ar y brawd Quinn."

Eisteddodd ar ymyl y bwrdd ac edrychodd am dipyn yn syth i lygaid Quinn gan daro'i ffon fer yn erbyn ei esgid.

"Wel, wel, y cyfaill Quinn," meddai o'r diwedd, "mae'n amlwg nad wyt ti ddim yn barod iawn i'n helpu ni. Ble mae dy feistr ?"

"Wn i ddim ! Pam 'rŷch chi'n gofyn i fi ? Rwy' i wedi bod yma drwy'r nos !"

Edrychodd Stevens yn hir arno eto. "Mae e wedi dianc arnon ni Quinn. Mae e wedi diflannu. Nawr, rwyt ti'n 'i nabod e'n ddigon da—ble gall e fod y funud 'ma fuaset ti'n ddweud ? Hm ?"

Ni ddywedodd Quinn air.

"A wel," meddai Stevens, gan ysgwyd ei ben a chan edrych yn dosturiol arno, "mae'n debyg na welwn ni byth mohono mwy. Ond rhaid i ni fod yn ddiolchgar ffrindie, mae'r cyfaill Quinn gyda ni ; o leia' fe fydd un gyda ni i'w grogi am yr hyn a ddigwyddodd yn Henffordd."

"Am ddwyn y tipyn perlau 'na ?"

"Ie Quinn, a hefyd am y mater bach yna o ladd yr Iddew— Amos Cohen."

Sythodd Quinn yn ei gadair.

"Nid fi a'i lladdodd e—rwyn tyngu . . . !"

Ysgydwodd Stevens ei ben yn drist.

"Wyddech chi ffrindie, dyna fel mae o hyd—un yn bwrw bai ar y llall. Mae'n debyg dy fod ti'n ceisio dweud mai Syr Henry a lofruddiodd yr Iddew . . ."

"Ddwedes i ddim mo hynny !"

"Ac, wrth gwrs, mae Syr Henry'n dweud mai ti a'i lladdodd e."

Nodiodd Stevens ei ben yn araf a daliai i daro'i esgid â'i ffon.

"Ddwedodd e hynny ?"

Âi pen Stevens i fyny ac i lawr fel pendil cloc.

" 'Rŷch chi'n trio nal i !" gwaeddodd Quinn, gan godi ei ddwylo at ei wyneb. Gwenodd Stevens yn drist arno.

"Rydyn ni wedi dy ddal di, gyfaill. Ond mae Syr Henry wedi mynd—wedi diflannu, ond cyn mynd mae e wedi gofalu rhoi'r bai i gyd ar 'i annwyl was."

Yna clywodd y tri sŵn metel yn tincial.

"Y breichledau Quinn," gwaeddodd Stevens. "Rwyn dy gymryd i'r ddalfa ar ddau gyhuddiad—lladd yr Iddew Amos Cohen a dwyn y perlau !"

Neidiodd Quinn o'r gadair. "Syr Henry laddodd yr Iddew!"

Yna gosododd ei law dros ei geg fel pe bai am ei rwystro'i hunan rhag dweud rhagor. Bu distawrwydd yn yr ystafell ac eithrio sŵn tap-tap ffon Toby Stevens yn erbyn ei esgid. Edrychodd Quinn o un i'r llall mewn dychryn.

"Wel ?" meddai, gan droi'n wyllt at y Rhedwr tal. Edrychai Toby Stevens i lawr arno fel pe bai'n astudio rhyw bryfyn diddorol, ac aeth meddwl Twm yn ôl i'r diwrnod hwnnw yng nghegin gefn y "Three Fishermen" pan gafodd ef yr un drin-

iaeth gan Toby Stevens, ac yn awr, ar ei waethaf, fe deimlai
beth piti dros Quinn.

"Dwed yr hanes wrthon ni, gyfaill, i ni gael clywed sut mae
e'n swnio," meddai Toby.

Petrusodd Quinn am dipyn, yna dywedodd, "Fe ymosodon
ni ar y . . ."

"Tom," meddai Syr Philip.

"Ie. Ond nid gyda'r bwriad o ddwyn dim byd oddi arno, na
gwneud niwed iddo, ond er mwyn ceisio gofalu na fydde fe
ddim yn rhedeg yn y ras. Roedden ni wedi clywed fod yna
berygl i'r gaseg guro'r ' Grey Duke ' ac roedd Syr Henry wedi
betio'n drwm ar hwnnw. Roedd e'n dibynnu ar y ceffyl llwyd i
ennill digon iddo fedru talu ei ddyledion. Roedd e mewn
dyled i'r Iddew ac i nifer o bobl eraill yn Henffordd. Wel fe
lwyddodd y rhan gyntaf o'r cynllun yn iawn. Fe gawson ni—y
—hwn yn ddiogel mewn hen warws yn ymyl yr afon. Ond tra'r
oedden ni yno yn disgwyl tri o'r gloch—roedd y ras i ddechrau
am dri—fe fûm i'n ddigon ffôl i fynd trwy 'i bocedi fe tra'r oedd
e'n gorwedd ar y llawr fanny â'i lygaid ynghau. A dyna pryd
y digwyddodd fy mysedd i gyffwrdd â'r perlau yna oedd wedi
eu gwnio tu mewn i'w wasgod e." Stopiodd Quinn ac ysgyd-
wodd ei ben.

"Beth wedyn, y cyfaill Quinn ?" gofynnodd Stevens.

"Doedden ni ddim wedi bargeinio y byddai rhywun arall yn
gallu marchogaeth y gaseg ddu ar fyr rybudd. Ond dyna
ddigwyddodd, ac fe enillodd. Roedd Syr Henry bron yn
wallgo. Y noson honno fe aethom ni'n dau at yr Iddew i geisio
ganddo fe brynu'r perlau, ond rhaid 'i fod e'n amau mai wedi
'u dwyn yr oedden nhw, oherwydd fe wrthododd roi dimai goch
amdanyn' nhw. Ac fe ddwedodd yn blwmp ac yn blaen 'i fod
e'n bwriadu rhoi'r gyfraith ar Syr Henry bore trannoeth os nad
oedd e'n mynd i glirio'i ddyledion."

Edrychodd Quinn i lygad y tân â golwg ar ei wyneb fel pe
bai'n gallu gweld unwaith eto yr hyn a ddigwyddodd wedyn
yn y siop dywyll honno yn y stryd gefn yn Henffordd.

"Fe gollodd Syr Henry arno'i hunan yn llwyr. Cofiwch
roedd e wedi bod yn yfed . . . Roedd pob math o bethau ar
gownter y siop gan yr Iddew . . . ac un ohonynt oedd hen gyllell
fawr â charn o asgwrn melyn. Fe gydiodd Syr Henry yn y

gyllell . . . a chyn i fi sylweddoli beth oedd yn digwydd, roedd e
wedi trywanu'r hen ŵr yn 'i fynwes. Fe syrthiodd i'r llawr heb
yr un gair. Fe redais i allan o'r lle ar unwaith, ond fe arhosodd
Syr Henry . . . a rhaid 'i fod e wedi dod o hyd i dipyn o gyfoeth
yr Iddew, oherwydd mae e wedi llwyddo i fyw'n gyfforddus yn
Llundain oddi ar y diwrnod hwnnw. Ond yn ddiweddar mae e
wedi bod yn gamblo'n drwm ac rwyn meddwl 'i fod e wedi
mynd trwy'r cyfan."

Edrychodd Stevens ar Twm.

"Rwy' wedi bod yn ddigon hir yn Bow Street i adnabod y
gwahaniaeth rhwng stori gelwyddog a stori wir. Ac mae'r stori
yma, mae'n dda gen i ddweud, Quinn, yn swnio'n wir. Mae
hyn yn golygu Tom, dy fod ti wedi dy gyhuddo ar gam, ac
rwyn ofni i ti ddioddef tipyn oherwydd hynny."

Edrychodd Twm ar ei wyneb hir main, a gwyddai na allai
byth feddwl amdano ond fel cythraul o ddyn a oedd wedi
achosi llawer o ofid a thrwbwl iddo ef.

"Beth nawr ?" gofynnodd yn sychlyd.

"Rwyt ti'n ddyn rhydd cyn belled ag yr wyf fi yn y cwestiwn.
Wrth gwrs, wn i ddim beth fydd yr awdurdodau'n 'i feddwl dy
fod ti wedi dianc o garchar Henffordd . . ."

"Mi fydda' i'n gweld y Prif Weinidog, Lord North peth
cynta' bore fory," meddai Syr Philip.

"Gobeithio y byddwch chi mor garedig, syr, â rhoi gwybod
i'r awdurdodau fod Toby Stevens wedi gwneud 'i ore . . ."

Edrychodd ar Twm â gwên seimllyd ar ei wyneb.

"Dwyt ti ddim wedi dal y llofrudd eto beth bynnag,"
meddai hwnnw'n ddig.

"Eitha' gwir," meddai'r Rhedwr. Troes at Quinn unwaith
eto.

"Y cyfaill Quinn," meddai, "rwyt ti mewn tipyn o drwbwl
fel y gwyddost ti, ond pe bait ti'n gallu helpu'r Gyfraith i ddod
o hyd i'r llofrudd, mae'n debyg y byddai'r Gyfraith yn barod i
fod yn drugarog tuag atat ti. Ble mae e, Quinn ?"

Ysgydwodd y gwas ei ben. Yna, am eiliad, edrychodd ar
Stevens fel pe bai wedi meddwl am rywbeth a allai fod o help.
Ond ysgydwodd ei ben wedyn a throi i edrych yn syn i'r tân.
Ond yr oedd y Rhedwr wedi sylwi ar yr olwg honno ar ei
wyneb. Plygodd ymlaen.

"Fe fydd hi'n wael iawn arnat ti, gyfaill, os na ddown ni o hyd i Syr Henry. Does gennyt ti ddim un syniad bach ble gallai dy feistr fod y funud 'ma ?"

"Wel . . ."

"Ie, Quinn ?"

"Wel mae 'na gwch—llong fechan—y ' Jean Emma ' o Ffrainc yn y porthladd 'ma ar hyn o bryd. Dau Ffrancwr— Anton a Pierre Cartier—sy' piau hi. Ond yn ddiweddar mae Syr Henry wedi bod yn gwneud tipyn o fusnes â hwy. Rwyn deall mai smyglo gwin o Ffrainc i'r wlad yma y maen' nhw, ac mae Syr Henry yn gofalu am gwsmeriaid iddyn' nhw yn Llundain yma. Os yw Syr Henry'n meddwl dianc o'r wlad fe allai wneud hynny'n hawdd yn llong y brodyr Cartier. Cofiwch does gen i ddim byd i brofi . . . ond pe bawn i yn 'i le fe'r funud 'ma, mae'n debyg y byddwn i'n neidio at y cyfle i adael y wlad am dipyn nes i bethau dawelu."

Edrychodd Stevens ar Twm a Syr Philip. "Gwell i ni fynd heb golli rhagor o amser gyfeillion !"

Y LLOFRUDD YN Y DDALFA

LLIFAI'r afon Tafwys yn esmwyth dan y lleuad. Ar ei mynwes lydan yr oedd ugeiniau o gychod bach a mawr, rhai'n symud i fyny ac i lawr a'r lleill wrth angor. Codai tarth o'r dŵr i wneud y cyfan yn aneglur fel golygfa mewn breuddwyd. Chwyrlïai'r niwl o gwmpas mastiau uchel a rigin y llongau mawr a gwnâi i olau'r lampau ar y lan edrych yn fwy pŵl nag arfer.

Daeth cerbyd ag un ceffyl yn ei dynnu i lawr y ffordd dywyll a oedd yn arwain i'r dociau. Stopiodd y cerbyd cyn dod o fewn cyrraedd goleuadau'r harbwr, a daeth Syr Philip, Twm, Stevens a Quinn allan ohono. Nid oedd Weavers' Lane yn bell oddi wrth yr afon, ond gan fod yr hen Syr Philip wedi mynnu dod gyda hwy, a chan ei fod yn rhy herciog i gerdded yn gyflym bu rhaid llogi cerbyd. Yn awr cerddai'r pedwar yn ddistaw trwy'r tarth i gyfeiriad yr afon, Quinn a Stevens ar y blaen, wedyn Twm, yna Syr Philip yn dilyn o hirbell. Deuai pob math o aroglau dieithr i ffroenau Twm. Yr oeddynt yn ddieithr iddo am nad oedd wedi bod erioed o'r blaen ym mhorthladd Llundain.

Aethant heibio i longau tywyll yn rhwym wrth y cei. Allan ar yr afon gallent glywed rhywun yn canu mewn llais tenor trist. Yn nes atynt gallent glywed tonnau bach yr afon yn taro "lap-lap" yn erbyn y cei.

Gwelodd Twm Stevens a Quinn yn aros. Pan ddaeth atynt dywedodd Stevens mewn llais isel, "Os yw'r llong yma o gwbwl, mae hi wedi ei chlymu wrth y cei hanner canllath o'r fan yma. Rhaid i ni fynd ar flaenau ein traed o hyn ymlaen." Fe geisiodd Twm feddwl am yr hen Syr Philip, a oedd yn hercian tu ôl iddynt, yn cerdded ar flaenau ei draed !

Aethant ymlaen eto mor ddistaw ag y medrent, ac yn awr Stevens oedd yn arwain.

"Dyna hi !" sibrydodd, "mae'r llong yma beth bynnag !"

Edrychodd Twm trwy'r gwyll a gwelodd hen long fechan

ddigon di-olwg yn rhwym wrth y cei, ac ar y bow mewn llythrennau breision gwyn gallai weld yr enwau—"Jean Emma".

Gorweddai'r llong yn dywyll ac yn ddistaw wrth y cei ac nid oedd un arwydd o fywyd arni. Wedi craffu gwelsant fod astell hir wedi ei gosod yn bont simsan rhwng y llong a'r cei. Cododd Stevens ei ffon fel arwydd, a cherddodd yn ddistaw ar draws yr astell. Aeth y ddau arall ar ei ôl, Quinn yn ail a Thwm yn drydydd. Plygai'r astell yn beryglus o dan eu pwysau, a chan fod "breichledau" Stevens yn dynn am ei ddau arddwrn, fe gâi Quinn, druan, drafferth mawr iawn i gadw ar ei draed. Cydiodd Twm yn ei fraich a'i wthio yn 'i flaen. Am y foment yr oedd wedi anghofio'r cyfan am yr hen Syr Philip.

Cyrhaeddodd y tri ddec y "Jean Emma" yn ddiogel. Wedi cyrraedd i'r fan honno gwelsant fod yna olau'n dod allan trwy bortol ar yr ochr oedd yn wynebu'r afon. Tywynnai'r golau o'r portol agored ar draws y dŵr bawlyd. Daeth Stevens o hyd i'r grisiau tywyll a oedd yn arwain i lawr i berfeddion y llong, a chydag arwydd arall â'i ffon dechreuodd ddisgyn yn ddistaw o'r golwg. Safodd Twm am funud yn petruso beth i'w wneud. A ddylai fynd i lawr i helpu Stevens? Ond beth i'w wneud â Quinn? Yna gwelodd Syr Philip â'i gleddyf yn noeth yn ei law, yn dod yn araf dros y bont sigledig rhwng y cei a'r llong. Estynnodd Twm ei fraich i'w helpu i'r dec ond chwifiodd yr hen ŵr bonheddig ei gleddyf fel arwydd nad oedd am help neb. Daliai Twm ei anadl tra deuai Syr Philip o gam byr i gam byr yn nes at y llong. O'r diwedd cyrhaeddodd yn ddiogel.

"Wel, ydy' e 'ma, Tom?"

"Sh!" sibrydodd Twm, "wn i ddim, syr, mae Stevens wedi mynd lawr i weld. Os edrychwch chi ar ôl Quinn, mi a' i lawr ar 'i ôl e."

"Wrth gwrs. Chaiff y gwalch ddim cyffro, Tom."

Yr oedd Twm hanner ffordd i lawr y grisiau tywyll pan ddechreuodd y pandamonium rhyfeddaf ym mherfeddion y "Jean Emma." Clywodd ddrws yn agor yn sydyn, yna llais Toby Stevens yn gweiddi, "Yn enw'r Gyfraith!" Wedyn daeth sgrech oerllyd drwy'r tywyllwch.

Rhuthrodd Twm yn 'i flaen. Nid oedd angen mynd yn ddistaw bellach.

Gwelodd ddrws caban yn agored o'i flaen â golau'n llifo allan drwyddo. Rhedodd i mewn drwy'r drws a gwelodd Toby Stevens yn gorwedd ar y llawr. Yr oedd dau ddyn, mor debyg i'w gilydd â dau efaill, yn plygu drosto, ac yr oedd gan un ohonynt gyllell yn ei law. Y rhain oedd y ddau Ffrancwr, meddyliodd Twm.

"Help, yn enw'r Gyfraith !" gwaeddodd Toby o'r llawr. Gwthiodd un o'r Ffrancwyr ei ben-lin i'w stumog â'i holl nerth.

Aeth Twm ymlaen yn araf at y Ffrancwr a ddaliai'r gyllell yn ei law.

Yna trwy gil ei lygad gwelodd symudiad o'r tu ôl iddo a chamodd Syr Henry Mortimer allan o'r tu ôl i'r drws. Yr oedd ganddo bistol ymhob llaw, ac yr oedd yr olwg filain ar ei wyneb yn ddigon i godi dychryn ar bawb. Ciliodd y ddau Ffrancwr yn ôl gam oddi wrth Toby Stevens ac yn awr safent gan edrych yn frawychus ar Syr Henry.

"Sut daethoch chi o hyd i'r llong 'ma ?" gofynnodd rhwng ei ddannedd.

Cododd Toby Stevens yn araf ac yn ofalus ar ei draed.

"Wel ?" meddai Syr Henry.

"Quinn," atebodd Stevens o'r diwedd, "ac mae e wedi dweud wrthym sut y bu'r Iddew—Amos Cohen farw." Ar ôl dweud hyn tynnodd anadl hir, yna aeth ymlaen eto. "Ac rwy' wedi dod 'ma i'ch cymryd chi i'r ddalfa, Syr Henry." Am unwaith ni allai Twm lai nag edmygu Toby Stevens. Yr oedd eisiau dewrder i ddweud peth fel yna pan oeddech yn edrych i mewn i farilau dau bistol.

Chwarddodd Syr Henry'n gras.

"Fy nghymryd i i'r ddalfa ! Wel, pam na wnei di ? Pam na wnei di ? E ?"

Yr oedd yn gweiddi yn awr a sylwodd Twm fod y ddau bistol yn crynu yn ei law.

"Wel ?" gwaeddodd eto a'i lygaid yn fflamio. "Pam na ddoi di mla'n i nghymryd i i'r ddalfa ? Ie, ie, fi laddodd yr Iddew, tyrd yn dy fla'n !"

Ni symudodd Toby Stevens.

"Wel, wel, un o fechgyn Bow Street hefyd ! Rown i'n meddwl fod mwy o blwc tu ôl i'r wasgod goch yna !" Mae'r dyn yn wallgof, meddyliodd Twm.

Yr oedd llygaid Toby'n hanner cau a'r ffon fer wrth ei arddwrn am unwaith yn berffaith lonydd.

"Mi fu'swn i wedi mynd ers amser onibai fod y ddau ffŵl yma" (gan gyfeirio at y ddau Ffrancwr), "yn dweud fod rhaid aros i'r llanw droi. Ond nawr mae'n rhy hwyr i ddefnyddio'r ' Jean Emma.' Rhaid newid tipyn ar fy nghynlluniau. Mewn munud mi fydda' i'n mynd allan drwy'r drws 'ma, ac os nad ŷch chi am fynd i gwrdd ag Amos Cohen yn gynt na phryd, peidied neb ohonoch â mentro i'r dec am ddeng munud ar ôl i mi fynd," meddai Syr Henry.

Aeth yn araf lwyr ei gefn tuag at y drws. Yr eiliad nesaf gwelodd Twm fraich Toby Stevens yn symud a'r ffon fer a oedd wrth ei arddwrn yn mynd fel saeth drwy'r awyr. Clywodd hi'n chwiban heibio i glust Syr Henry cyn diflannu i'r tywyllwch tu draw i'r drws agored. Yna syfrdanwyd pawb gan sŵn ergyd. Gwelodd Twm fflach o dân yn neidio o faril y pistol yn llaw dde Syr Henry, a Toby Stevens yn llithro'n araf i'r llawr. Gorweddodd y Rhedwr yn llonydd ar lawr y caban. Dechreuodd y ddau Ffrancwr barablu rhywbeth yn uchel yn eu hiaith eu hunain. Edrychodd Syr Henry ar Twm a disgwyliai hwnnw bob eiliad iddo danio'r pistol arall. Ond ni wnaeth. Yn lle hynny symudai'n araf tuag at y drws. Wrth weld y wên fileinig ar ei wyneb yr oedd yn hawdd gan Twm gredu fod hwn yn llofrudd lawer gwaith trosodd. Cyrhaeddodd y drws, yna stopio yn sydyn. Daeth newid rhyfedd dros ei wyneb.

"Gollyngwch eich gafael yn y pistol 'na Syr Henry neu fe fydd llathed o ddur y cleddyf 'ma yn mynd drwy'ch corff chi'r funud 'ma !"

Llais yr hen Syr Philip !

Disgynnodd y ddau bistol ar lawr derw'r caban.

YN ÔL I DREGARON

DRINGAI'r goets fawr yn araf i fyny'r rhiw i gyfeiriad Tregaron. Daethai'r gaeaf yn gynnar i'r wlad y flwyddyn honno, ac yn awr disgleiriai'r lleuad lawn ar gaeau a chloddiau'n wyn gan farrug, o bob tu i'r ffordd. Eisteddai Wil Prichard y gyrrwr yn ei blyg ar ben y goets, a theimlai'r oerfel yn ei esgyrn, ar waethaf y ddwy got fawr o frethyn trwchus a oedd amdano. Cododd goler ei got yn uwch am ei glustiau a chwifiodd ei chwip yn ysgafn dros warrau'r ceffylau. Ond yr oedd y rheiny wedi blino ac ni chafodd y chwip unrhyw effaith. Yr oedd eu cyrff yn mygu yng ngolau'r lleuad.

"Maen' nhw'n gynnes beth bynnag," meddyliodd Wil Prichard. Fe deimlai'n unig, gan nad oedd neb yn teithio y tu allan y noson honno, ac edrychai ymlaen yn eiddgar at gyrraedd tafarn Llwyn-yr-hwrdd a'r gegin gynnes oedd yno, lle'r oedd tân a phobl a chroeso.

Erbyn hyn nid oedd ond tri y tu mewn i'r goets—Twm Siôn Cati, Y Ledi Eluned Prys a Neli'r forwyn. Yr oedd y tri wedi blino'n lân. Yn y gornel bellaf oddi wrth Twm fe gysgai Neli'r forwyn yn dawel, er bod ei phen yn siglo'n ôl a blaen gyda symudiadau'r goets ar y ffordd arw. Yr oedd y Ledi Eluned yn cysgu yn awr hefyd â'i phen yn pwyso ar ysgwydd Twm.

Ond ni allai Twm gysgu. Yr oedd gormod o feddyliau yn gweu trwy ei ymennydd.

Edrychodd ar Neli. Daliai ei phen i siglo'n ôl ac ymlaen. Druan ohoni ! Gwyddai nad oedd hi wedi mwynhau yr un funud o'r siwrnai hir i Lundain ac yn ôl. Ond gwyddai ar yr un pryd y byddai'n adrodd hanes y daith honno am flynydd-oedd, gyda balchder mawr, wrth ei ffrindiau yn Nhregaron.

Fe lithrodd ei feddwl yntau yn ôl yn awr dros y daith ryfedd honno. Meddyliodd am yr hyn a ddigwyddodd yn nhafarn y "Black Horse" lle'r oedd yr holl helynt wedi dechrau, ac am y digwyddiadau yn Henffordd, o flaen ac ar ôl y ras.

Cofiodd y gloch ofnadwy honno'n canu pan arweiniwyd

Joe King y lleidr pen-ffordd o'i gell yng ngharchar Henffordd i'r crocbren. Lleidr pen-ffordd neu beidio yr oedd ef wedi hoffi Joe King ta'i dim ond am ei ddewrder wrth farw. Ond yr oedd wedi casáu Toby Stevens â chas perffaith. Ni allai edrych ar y dyn tal tenau â'r wasgod goch heb deimlo'n ddig tuag ato. Ond yr oedd hwnnw wedi dangos dewrder eithriadol yn y diwedd hefyd, pan yn wynebu'r dihiryn Syr Henry Mortimer yng nghaban y "Jean Emma". Ac yn awr fe deimlai Twm yn ddiolchgar nad oedd bwled Syr Henry wedi mynd â'i fywyd. Trawodd yr ergyd ef yn ei ysgwydd ac yr oedd yn debyg o fyw i ddal rhagor o ladron pen-ffordd !

Dyna Quinn wedyn, a oedd yn gyfrifol am lawer o'r helynt a oedd wedi disgyn ar Twm. Ond pan ddringodd o'r caban i ddec y "Jean Emma" 'r noson honno, a chael fod y gwalch wedi diflannu, fe deimlai'n falch ar waetha'i hunan ! Diau ei fod wedi rhoi'r goes iddi cyn gynted ag yr aeth Syr Philip i lawr y grisiau i'r caban ar ôl clywed yr ergyd. Sut oedd y rôg wedi cael gwared o'r "breichledau" am ei ddwylo tybed ?

Fe geisiodd Twm feddwl pam yr oedd wedi teimlo'n falch fod dihiryn fel Quinn wedi dianc ? A gwyddai yn ei galon mai am ei fod ef ei hunan wedi bod yn ffoadur oddi wrth y Gyfraith y teimlai felly. Oedd, meddyliodd, roedd e' wedi cwrdd â sawl math o ddihiryn ar y daith yma i Lundain.

Aeth olwyn y goets i mewn i rigol yn y ffordd ac ysgydwyd y tri ohonynt. Clywodd Twm y Ledi Eluned yn ochneidio yn ei chwsg a rhoddodd ei fraich yn dyner amdani.

Yn awr yr oedd y ceffylau'n teithio ar y gwastad. Meddyliodd Twm wedyn am yr hen Syr Philip ac am Elmwood, ei blas hardd lle'r oedd ef a'r Ledi Eluned wedi torri'r siwrnai o Lundain. Gwyddai yn awr iddo wneud yn ddoeth pan gytunodd i adael y gaseg ddu yng ngofal Syr Philip a Wilf yn Elmwood. Pan ofynnodd yr hen ŵr bonheddig am gael ei chadw dros y gaeaf er mwyn ei pharatoi ar gyfer rasio yn ystod y gwanwyn a'r haf canlynol, ni theimlai'n fodlon iawn. Ond yn awr, wrth gofio'r siarad a glywsai yn stabl y Dolau, gwyddai y byddai'r gaseg yn fwy diogel yn Elmwood nag yn Nhregaron. A pheth arall ni allai yn ei fyw siomi'r hen ŵr bonheddig a oedd wedi dangos cymaint o garedigrwydd tuag ato.

*   *   *   *

Cerddai Twm Siôn Cati a'r Ledi Eluned i fyny'r lôn a arweiniai i'r Plas. Yr oedd hi'n ddeg o'r gloch y nos, ac yr oedd y Ledi Eluned wedi gyrru Neli o'u blaenau i roi gwybod i bawb yn y Plas fod ei meistres wedi cyrraedd adre.

Daethant i'r tro yn y lôn lle'r oedd y llwyn rhodedondron mawr. Disgleiriai fel arian yn awr dan haenen o farrug. O'r fan honno gallent weld y Plas. Yr oedd golau ym mhob ffenestr bron. Wrth weld hyn dywedodd Twm, "Mae Plas y Dolau yn eich croesawu chi adre."

Troes hithau ei hwyneb hardd tuag ato. "Mae'r Dolau yn eich croesawu chithe hefyd, Twm."

Gwasgodd Twm ei law a cherddodd y ddau yn flinedig, ond yn hapus, ar draws y lawnt ac i fyny'r grisiau mawr at y drws.

D I W E D D

O.N.

Rai blynyddoedd yn ôl yr oedd ocsiwn yn fferm Llethr Mawr, gerllaw Merthyr Cynog. Yn yr ocsiwn honno fe brynodd siopwr o sir Aberteifi hen Feibl Cymraeg. Y tu mewn i'r clawr yr oedd enw ei berchennog cyntaf—Rhys Parri—1768, a rhwng dail yr hen Feibl daeth y siopwr o hyd i un tudalen o hen bapur wythnosol, a honno wedi braenu a melynu gan oed. Y dyddiad ar ben y ddalen oedd Ionawr 8ed 1777, ac arni yr oedd un hanesyn a oedd o ddiddordeb mawr i mi, pan ddaeth y darn papur i'm llaw yn ddiweddar :

"Yesterday a Highwayman and a murderer were hanged on Tyburn Hill. The Highwayman was John Slack of Dartford, who had been, for the last two years, the terror of all honest travellers on the roads leading into London. The other evil-doer was Henry Mortimer, found guilty of murdering a Jew and of wounding a Bow Street Runner. The execution of both rogues was watched by a great multitude of people. May their fate be a lesson to all Highwaymen murderers, thieves and vagabonds."